岡 山 文 庫

328

岡山県立美術館コレクション

岡山県立美術館 編

日本文教出版株式会社

岡山文庫・刊行のことば

岡山県は古く大和や北九州とともに、吉備の国として二千年の歴史をもち、遠くはるかな歴史の曙から、私たちの祖先の奮励とそして私たちの努力とによって、現在の強力な産業県へと飛躍的な発展を遂げております。

小社は創立十五周年にあたる昭和三十八年、このような歴史と発展をもつ古くして新しい岡山県のすべてを、〝岡山文庫〟（会員頒布）として逐次刊行する企画を樹て、翌三十九年から刊行を開始いたしました。

以来、県内各方面の学究、実践活動家の協力を得て、岡山県の自然と文化のあらゆる分野の、様々な主題と取り組んで刊行を進めております。

郷土生活の裡に営々と築かれた文化は、近年、急速な近代化の波をうけて変貌を余儀なくされていますが、このような時代であればこそ、私たちは郷土認識の確かな視座が必要なのだと思います。

岡山文庫は、各巻ではテーマ別、全巻を通すと、壮大な岡山県のすべてにわたる百科事典の構想をもち、その約50%を写真と図版にあてるよう留意し、岡山県の全体像を立体的にとらえる、ユニークな郷土事典をめざしています。

岡山県人のみならず、地方文化に興味をお寄せの方々の良き伴侶とならんことを請い願う次第です。

はじめに——ようこそ岡山県立美術館へ

当館は昭和63（1988）年3月18日、岡山市北区天神町に開館。同じ年、物流の拠点としての役割を強化すべく整備された本土と四国を陸路で結ぶ瀬戸大橋、国内外を空路でつなぐ岡山空港とともに岡山県の三大プロジェクトのひとつに掲げられ、当時は県内外から多くの人を迎えいれる迎賓館・美の殿堂たれと位置づけられていた。建築設計は、最高裁判所庁舎を手がけた岡田新一（1928—2014）によるもので、外観は岡山城をイメージし、岡山県特産の万成石とステンレス、大きなガラス面を特徴とする建物は、堅牢で重厚な佇まいでありながら、室内は明るい陽光と外の景観を取り込み、思いのほか開放感がある。西隣りに天神山文化プラザ（旧岡山県総合文化センター［1957年開館］、すぐ南には岡本太郎の壁画《躍進》を有する山陽放送本社屋と岡山市立オリエント美術館［1979年開館］が並び、川向こうには特別名勝後楽園と岡山城、夢二郷土美術館［1966年西大寺に開館］や岡山県立博物館［1971年開館］、その他、徒歩圏内にシンフォニーホールや林原美術館（旧岡山美術館［1964年開館］等の文化施設が建ち並ぶ。岡山城下を中心とするこの界隈は岡山カルチャーゾーンと称し、本県の歴史や文化を体感できるエリアとなっている。

戦後、急成長を遂げる日本では、昭和26（1951）年に開館した神奈川県立近代美術館を筆頭に各地で次々と美術館が建設された。そうした中で当館はやや後発で、県内にはすでに大原美術館［1930年開館］をはじめ、先に挙げたカルチャーゾーンの各施設や笠岡市立竹喬美術館［1982年開館］、倉敷市立美術館［1983年開館］等、公・私立それぞれに特色あるコレクションを誇る施設があった。県立美術館はどうあるべきか――協議の末、選択されたのは「岡山ゆかり」であること――絵画、彫刻、工芸、写真等ジャンルを問わず、優れた「岡山の美術」を収蔵することをコレクションポリシーとし、特別展で幅広く多様な国内外の芸術を紹介していくことになった。コレクションの詳細は次稿に委ねるが、開館当初はいささか絵画中心に偏りがあったものの、30余年を経て、中世から現代まで幅広いジャンルの作品を郷土ゆかりとして紹介できる美術館は全国的にも稀有な存在と自負している。ひとえに県の作品購入費をはるかに超える作家や個人、団体からの寄付や受託、開館以来、当館に足を運んでくださる県民諸氏やさまざまな形でご支援いただく関係団体等のおかげと感謝している。

副管理者学芸課長　福冨　幸

○目　次／岡山県立美術館コレクション

重要文化財　牧谿《老子図》

重要文化財　玉澗《廬山図》

重要文化財　雪舟等楊《山水図》

（左）

（中）

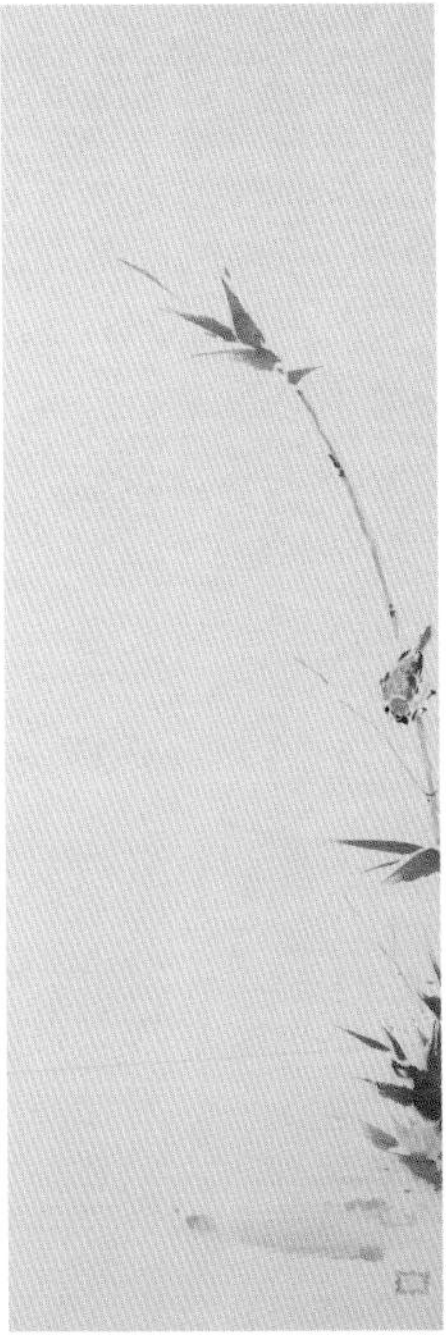
（右）

宮本武蔵《布袋竹雀枯木翡翠図》

重要文化財　浦上玉堂《山雨染衣図》

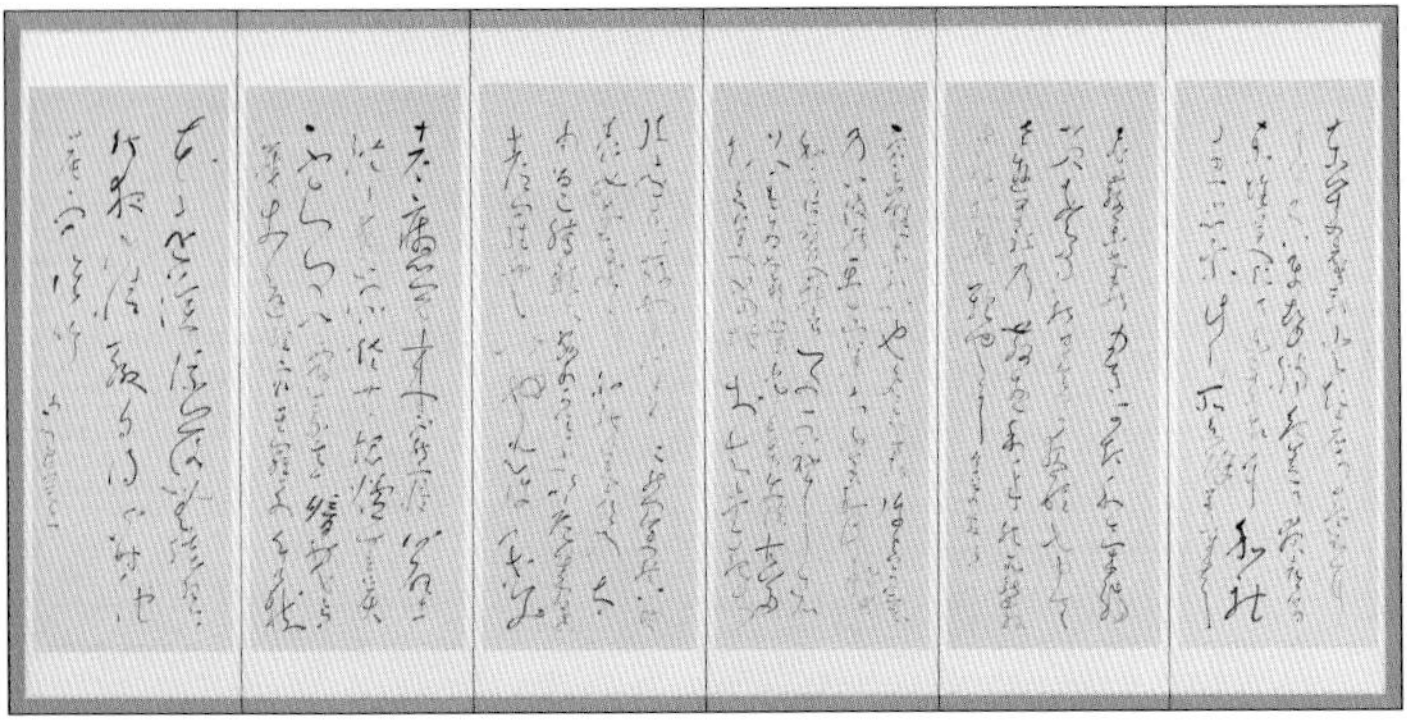

大愚良寛《詩書屏風》

原田直次郎《風景》

原撫松《老人像》

国吉康雄《祭りは終わった》

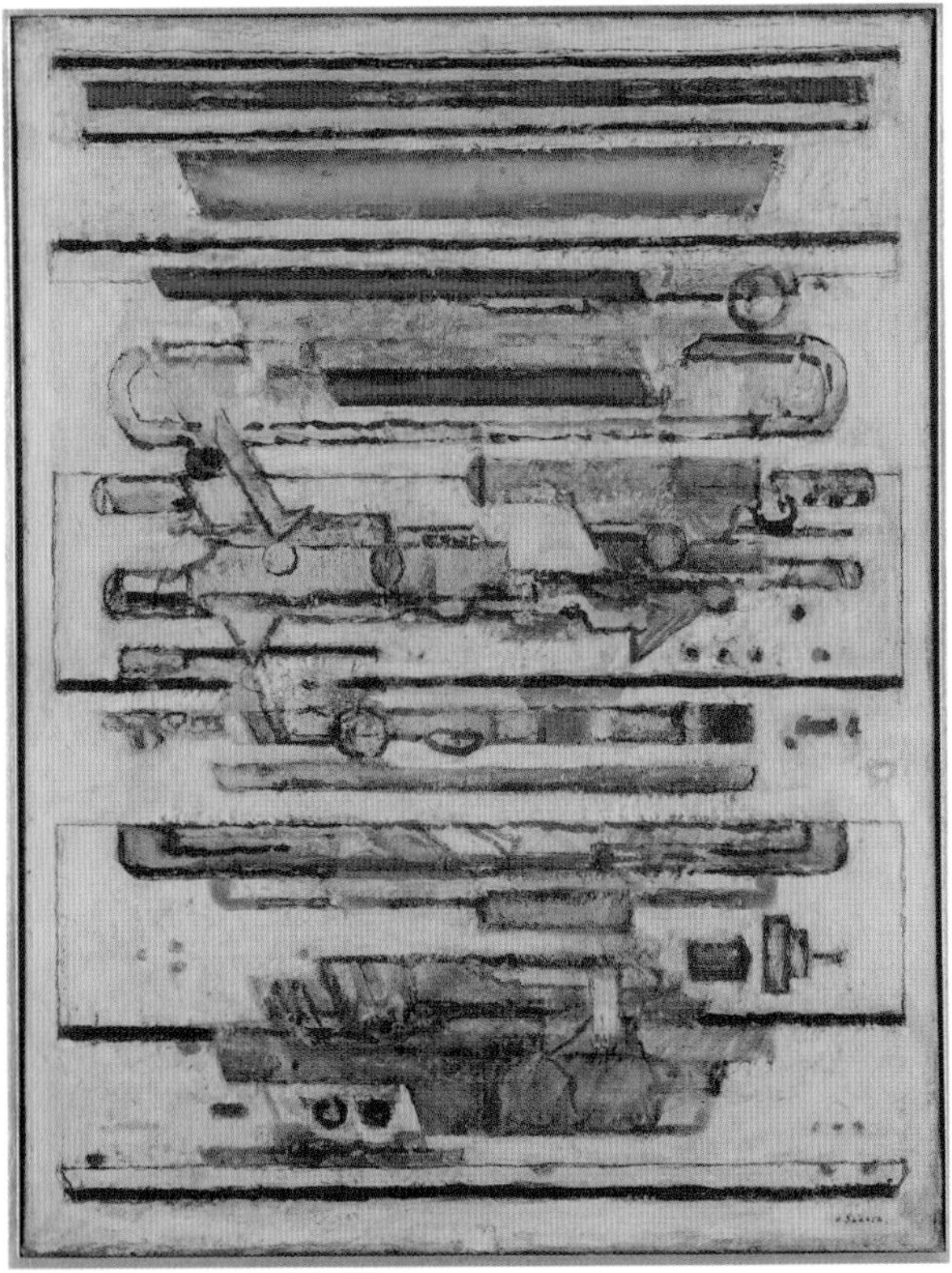

坂田一男《コンポジション（メカニックエレメント）》

斎藤真一《さすらいの楽師》

有元利夫《会話》

平櫛田中《五浦釣人》

金重陶陽《備前手鉢》

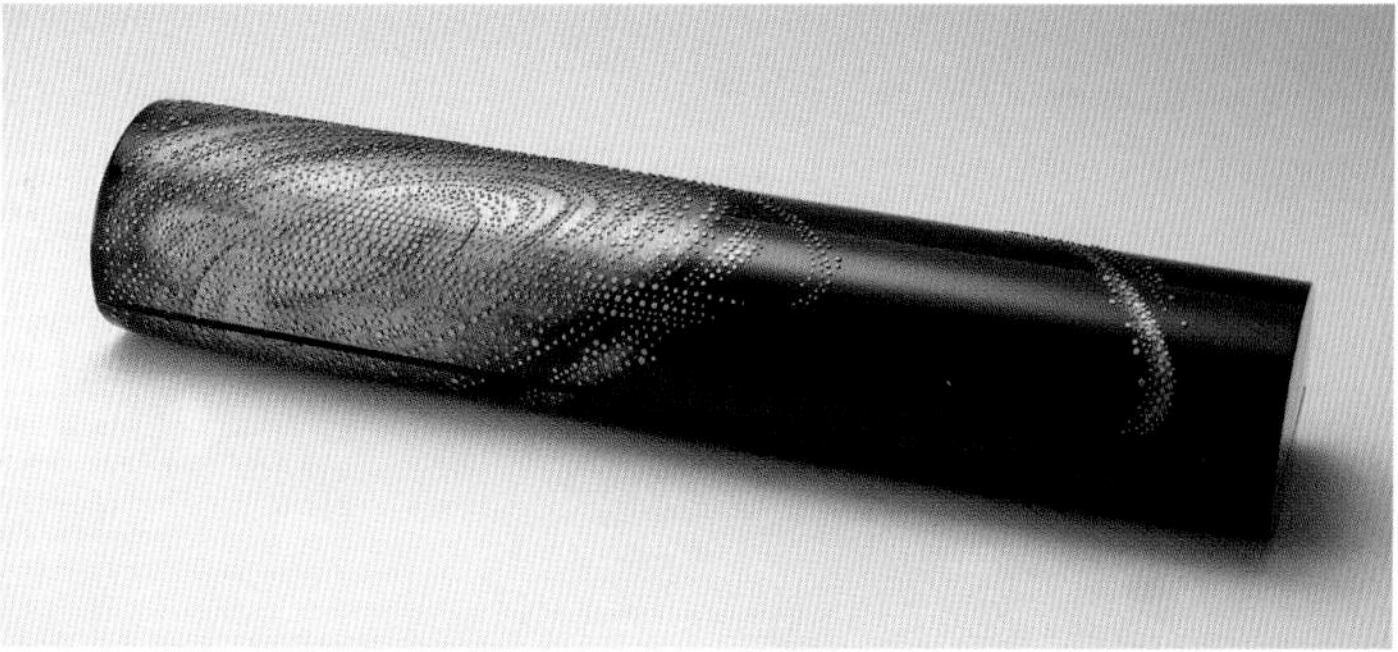

山口松太《乾漆油丕堆錦筒形箱「アンドロメダ」》

平田郷陽《支度（師匠・藤娘）》

岡山県立美術館のコレクションについて

岡山県立美術館は、昭和63（1988）年3月18日に現在の岡山市北区天神町に開館し、2023年には開館35周年を迎える県内唯一の県立美術館である。

一般的に美術館は、国やそれぞれの地域の芸術文化の継承発展と創造に貢献するため、企画展や常設展といった各種展覧会を開催したり、美術館講座やワークショップといった教育普及事業を実施したりするなど、日々多彩な活動を展開している。そうした美術館活動には「収集保存」「調査研究」「展示公開」「教育普及」といった基本的なものがあるが、それらすべてに深く関係するのが「コレクション」であるといえるだろう。コレクションとは、作品を収集する行為それ自体や、それによって構築された作品群、すなわち収蔵品のことを意味する。もちろん、現在ではコレクションを持たないクンストハレ型の美術館も存在するものの、多くの美術館は、調査研究を踏まえてそれぞれが定めた方針のもとに作品を収集し、未来へ遺すために保存し、そうして形作られた収蔵品を展覧会で展示公開したり、教育普及活動に活用したりすることで人々や社会に還元している。このように、基本的な美術館活動のすべてと繋がるコレクションは、美術館の根幹を成し、それを通じて美術館の特色はもっとも明瞭な形で利用者に伝えられるといってよい。

それでは、岡山県立美術館（以下、当館とする）の要となるコレクションには、いったいどのような特徴があるだろうか。結論を先回りしていうならば、それは「岡山の美術」だということである。当館でいう「岡山の美術」とは、岡山県域の出身者や岡山を拠点として制作活動した作家による作品や、岡山に伝来した作品、あるいは岡山の自然風土や伝承などに取材した作品など、広く「岡山ゆかり」の美術を指す。この郷土ゆかりの美術によって構成されるコレクションは、岡山という地域性をもっとも色濃く映し出すものであるため、県民にとってそれらの作品に親しく触れる機会があることの意義はきわめて大きい。とはいえ、地方の公立美術館であれば、郷土ゆかりの美術を収集することは至極当然であり、実際、ほとんどの地方公立館の収集方針にはその地域の郷土の美術が挙げられている。しかし、当館の方針が他館のそれと決定的に異なるのは、いくつかある収集方針のひとつに「岡山の美術」があるのではなく、基本的には「岡山の美術」に限っていることである。この郷土ゆかりの美術だけを収集するという方針は、全国的に見ても珍しく、当館を強く性格づけるものといってよいだろう。

一般的に「岡山の美術」といった場合、その特色として一番に挙げられるのが絵画のジャンルの充実である。というのも岡山の地からは優れた画家が中世から近世、そして近現代に至るまで綺羅星のごとく数多く輩出しているからである。室町時代の雪舟にはじまり、江戸時代初期の剣豪で水墨画家でもあった宮本武蔵、江戸時代後期の南画家の浦上玉堂、明治以降では近代日本画家の小野竹喬や池田遙邨、洋画家の松岡壽、原田直次郎、原撫松、鹿子木孟郎、満谷国四郎、児島虎次郎、国吉康雄、坂田一男、さらには大正ロマンを代表する画家で詩人の竹久夢二というように、ざっと挙げただけでも、日本の絵画史上で欠かすことのできない重要な画家たちの名前がずらりと並ぶ。だからこそ、当館のこけら落としを飾ったのは、「岡山の絵画５００年―雪舟から国吉まで―」と題された、郷土絵画展ともいえる開館記念特別展だったのである。郷土ゆかりの絵画だけで開館記念特別展を開催できたことこそが、岡山の絵画のポテンシャルが高いことを如実に物語っているといえるだろう。こうした「岡山の美術」における絵画ジャンルの充実は、当館のコレクションにも同様に当てはまり、彫刻や工芸作品に比べて絵画作品の収蔵点数は圧倒的に多くなっている。

ここで当館のコレクションの成り立ちを簡単に振り返ろう。当館の開館以前の岡山県では、1957年に設置され図書館と展示施設（ギャラリー）とホールを併設した岡山県総合文化センター（現在の岡山県天神山文化プラザ）のギャラリー部門が美術館の代替施設としての役割を果たし、貸会場のスペースを用いて小規模ながら企画展示を行なったり、岡山ゆかりの近現代美術作品を収集したりしていた。しかし、常設展示室を備え、大規模企画展が開催可能な県立美術館の設立が県民から熱望されたことにより、総合文化センターの隣の地に当館が建設されることとなったのである。設立に際しては、さまざまな議論が重ねられ、上述のように「岡山の美術」をコンセプトに常設展を運営し、それに関係する作品と資料を絵画・彫刻・工芸などのジャンルを問わず収集するという方針が決められた。すでに岡山ゆかりの作品を少なからず収蔵していた総合文化センターからは、そのコレクションが当館へと移管されたものの、系統だっておらずほとんどが洋画であったため不十分であった。そのため、購入を中心とした大掛かりな収集活動が開館前に進められ、それが現在のコレクションの中核となった。

開館後は比較的順調にコレクションは増えていったものの、県財政の悪化によって作品を購入できない時期が長く続いた。しかし近年は少額ながら作品の購入を毎年行なうことができている。また、特定の作家を取り上げる回顧展などの開催をきっかけに作家自身やその親族、あるいは関係者からの寄贈や寄託の機会に恵まれ、当館の「岡山の美術」コレクションはさらに充実しつつある。寄贈でいえば、浦上玉堂と春琴・秋琴父子の子孫宅に遺された作品・資料の一括寄贈（2016年度）や日本の抽象絵画の先駆者である坂田一男の親族が管理していた多数の作品・資料類の寄贈（2019年度）、さらには倉敷・大原家に伝来する浦上玉堂作品の寄贈（2021年度）が特筆される。寄託に目を向けると、20世紀前半のアメリカ画壇で活躍した国吉康雄の作品・資料に関する世界最大のコレクションである福武コレクションを2003年から受託している。こうして形成されていった当館のコレクションは、2022年現在、購入や寄贈による館蔵作品が約2900点、受託作品が約2400点、合計で約5300点となっている。それらについて、常設展の「岡山の美術展」において、約1ヵ月ごとに展示替えしながら公開している。また、コレクションを当館で展示するだけでなく、他の美術館から出品依頼があった場合は、可能な限りそれに応じて貸し出しを行なっている。美術館のコレクションの価値や重要性は、他館への貸し出し実績だけで測れるものではないが、ひとつの指標にはなるだろう。

続いて、当館のコレクションの内容を概観しよう。そのジャンルは、大きく「古書画・日本画」「洋画」「彫刻」「工芸」に分けられる。

「古書画・日本画」では、室町水墨画壇の最高峰で岡山の画家の出発点である雪舟等楊の作品をはじめ、その重要性を示すために雪舟の私淑した宋元時代の中国絵画や雪舟の弟子たちの作品を収集している。さらに、江戸時代の宮本武蔵や浦上玉堂などの個性的な水墨画家たち、そして岡本豊彦や柴田義董といった四条派の画家たちやその流れを汲む明治以降の小野竹喬や池田遙邨らの近代日本画家たち、加えて、昭和から平成にかけて活躍した「面構シリーズ」で知られる片岡球子など現代の作家の作品を収蔵している。中国絵画から室町水墨画、江戸時代の近世絵画、明治以降の近代日本画、そして現代日本画というように、質、量ともに充実した古書画・日本画のコレクションとなっている。また、江戸時代後期の禅僧で歌人の良寛や、昭和から平成にかけて活躍した書家の高木聖鶴による書作品なども収集していて、コレクションの幅に広がりが生まれている。

「洋画」では、明治前半期にヨーロッパで学んだ松岡壽や原田直次郎、岡山と大阪で画塾を開いて多くの弟子を育てた松原三五郎やロンドンに渡って優れた肖像画を遺した原撫松など、洋画の黎明期から活躍した画家たちの作品をはじめ、鹿子木孟郎や満谷国四郎、児島虎次郎といった明治から大正、昭和にかけて国内外で活躍した画家たちや、１９２０年代のフランスでキュビスムから抽象絵画へと展開した坂田一男や１９２９年にニューヨーク近代美術館で開かれた「19人の現存アメリカ作家展」に選出された国吉康雄の作品を数多く収蔵している。他にも人間の悲哀や哀愁を描き続けた斎藤真一や、独特な油彩技法による詩情をたたえた作品を遺した有元利夫など、昭和時代に活動した画家たちの作品も多数ある。加えて、独自の抽象絵画を探求し続けている東島毅や、独特のスタイルによる「変顔」の自画像で知られる松井えり菜など、現在活躍している作家たちの作品も収集している。このように、明治前半期から大正、昭和、そして平成、令和にまで至る各時代の優れた作品を誇る豊かな洋画コレクションとなっている。

「彫刻」では、岡山出身の最重要彫刻家というだけでなく近代日本を代表する彫刻家である平櫛田中の木彫作品が中心である。他にも現存作家によるブロンズや、木と木屑によるインスタレーション的要素のある寺田武弘の作品などを収蔵しているが、収蔵庫の面積が限られることもあり、彫刻の収蔵点数は他のジャンルの作品に比べてきわめて少ない。保存場所の問題を解決する必要はあるが、今後、コレクションの充実を図らなければならない分野である。

「工芸」では、伝統工芸がコレクションの中心となる。陶芸では、釉薬を施さずに高温で焼き締める備前焼が日本六古窯のひとつとして全国的にも有名で、金重陶陽ら5人の人間国宝（国指定重要無形文化財保持者）の作品をはじめ、古備前から現代陶芸まで収集している。加えて、瀬戸内市邑久町虫明の地で江戸時代中期から続いている京風の薄作りの焼き物である虫明焼や、岡山以外の地や大学で陶芸を学んだ施釉系の作家たちの作品も収蔵している。さらに、人間国宝の大野昭和斎らの木工や、難波仁斎や山口松太らの漆芸など岡山において近代以降盛んになった伝統工芸から、染織や人形、ガラス工芸など特色ある現代の工芸作品まで多岐にわたって収集している。

本書では、「岡山県立美術館コレクション50選」として、各ジャンルから「古書画・日本画」20点、「洋画」19点、「彫刻」1点、「工芸」10点を選んで紹介している。さらに、ジャンルに関係なく現在進行形で活躍している作家に注目して、「現存作家作品10選」として10点を選んでいる。もちろん、当館のコレクションには髙原洋一の版画作品や山﨑治雄の写真作品など他にも紹介したい作家や作品は多数あるが、紙幅の都合上、割愛せざるを得なかった。より広く当館の収蔵作品についてお知りになりたい場合は、本書とあわせて2005年と2018年に当館から刊行している2冊の『収蔵作品選』をご覧いただきたい。

以上、当館のコレクションについて、その形成の歩みと内容について簡単に紹介してきた。2023年に開館35周年を迎える岡山県立美術館は、この先も美術館の要となるコレクションを大切に保管しつつ、さらなる充実を図り、今後の美術館活動に積極的に活かしていきたいと考えている。

学芸員　橋村直樹

岡山県立美術館コレクション 50選

牧谿《もっけい》《老子図》　重要文化財　南宋時代末～元時代初　紙本墨画　1幅

大きな額に長い耳、頬がたれ、厚ぼったい唇を少し開き、前を見据える老僧の顔貌はまことに奇っ怪で、一度目にしたら忘れられないだろう。老子は春秋戦国時代の楚の思想家で、道教の始祖。その姿は「身長八尺八寸、黄色美眉、長耳大目、広額疎歯、方口厚唇」(『史記正義』)とされ、本図は概ね本記述に基づく古来の、そして同時代の絵画にも見られる図像を踏襲している。筆墨の肥痩、濃淡粗密は実に巧みで、緊張感のある人物に描かれる。本図に見られる特徴的な鼻毛の典拠は不明であるが、《鼻毛の老子》と通称され、親しまれてきた。

牧谿は中国・南宋時代の画僧で、日本においては室町時代の名品目録ともいえる『御物御画目録』に全体の約4割を占める100幅以上の作品が記載されるほど珍重され、日本の水墨画の展開に多大な影響を及ぼした。雪舟の円窓形の作品にもその名を残す。本図は画面左下には足利義満鑑蔵印である朱文方印「道有」が捺され、また付属の由緒書や箱書から徳川家康、紀州徳川家に伝来したことが知られる。第二次世界大戦で消失したとされていたが、平成元（1989）年に再出現し、当館の所蔵となった。

玉澗《ぎょくかん》《廬山図《ろざんず》》　重要文化財　南宋時代末〜元時代初　絹本墨画　1幅

雪舟筆《山水図(倣玉澗)》(43頁)にその名が記される玉澗は、中国・宋末元初の画僧で、現存する作品はいずれも粗放な溌墨技法によるもので、墨の暈しや滲みで形作られた山水の景に渇筆で家屋や舟などが添えられるスタイルは、雪舟や雪舟に連なる一門に玉澗様として継承された。

中国・江西省北部に位置する廬山は、仏教や道教の聖地として知られ、峰々の雄大で奇絶秀麗な風景は陶淵明や李白、白居易など多くの詩人に詠われてきた。今日ではユネスコ世界遺産にも登録される名山である。

本図は、墨の濃淡で漠とした大気が漂う山の重畳を描き、「虎渓三笑」の故事を引きつつ廬山を称える漢詩を添える。山の頂や山の一部のみを写す本図は、本来の原図を切断したもの。承応2(1653)年、京都・広隆寺の西林坊から佐久間将監真勝が原図を入手し、茶掛とするため狩野探幽と合議の上で3幅に切断したというもののひとつ。原図を写した《玉澗廬山図模本》(根津美術館)が遺り、もとは瀑布を中心とした構図であったことがわかる。後に酒井忠勝の手に渡り、徳川将軍家に献上された。

遠溪一笑是何除中題
風流入畫圖曾貯眠
垂老寒爐拿香冷水
雪孤

山海

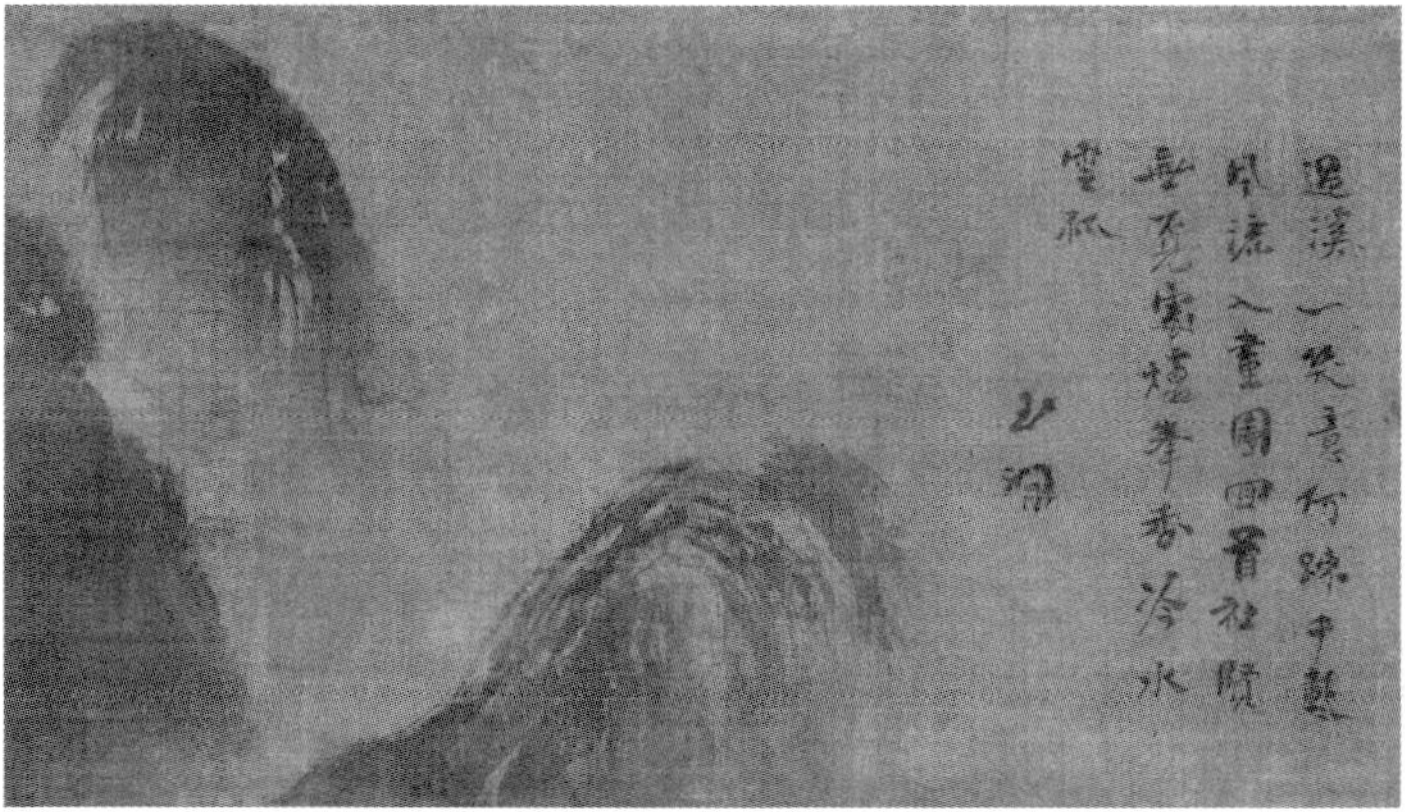

伝夏珪《かけい》《山水図(円窓形)》　元時代　絹本墨画　1幅

夏珪は、玉澗や牧谿同様、雪舟が《山水図（倣夏珪）》（山口県立美術館）と、その名を記す中国・南宋中期の画家。有名な雪舟の国宝《山水長巻》（毛利報公会）などにもその影響が指摘されるように、構図や景物のモチーフ、筆墨の用い方など、雪舟をはじめとする室町中期以降の日本の水墨画や中国・明代の浙派に多大な影響を及ぼしたことで知られる。

本図は無落款ではあるものの夏珪の伝称を伴い、西本願寺に伝来し、守屋孝蔵（1876―1953）の旧蔵品であった。切り詰められた現状でも「夏の一辺」と呼ばれる対角線構図や伝夏珪《山水図》（東京国立博物館）などに類似するモチーフがみられ、夏珪様式をよく伝えている。土坡と水辺の景で画面右下方に鬱蒼とした樹木や水上の小閣を集め、中景には水面に浮かぶ奇岩、対岸の樹林と屋宇、遥か遠景にうっすらと山々の連なりが見える。手前の岩から、樹木、遠山の順に輪郭線を徐々に細く、かつ濃墨から淡墨へと変化させることで遠近を表現している。

足利義持《寒山図》 重要美術品　室町時代　紙本墨画　1幅

中国・唐代の風狂僧・寒山は拾得とともに天台山国清寺の豊干禅師に仕えたという隠士で、文殊菩薩の化身とされる。その奇行や恬淡たるさまは悟りを得た姿とされ、多く禅僧の好む画題となり、寒山は経巻を手にし、箒を持つ拾得とふたりで、あるいはさらに豊干と虎とともに《四睡図》などとして多くの作例を残す。

本図の寒山は、少ない筆致ながら淡い擦筆でふんわりと描かれた頭髪や目尻を下げ、大きく口を開けて笑う顔、大きすぎる僧衣をひきずっているように見える姿形は、実に屈託がなく表情豊か。賛文に「勝定院（義持の法号）」と記されており、室町幕府四代将軍足利義持（1386―1428）の作と知られる。賛者の春作禅興は、室町幕府と深い関係を結んで大徳寺を五山派に属させた大模宗範の法嗣で殊に義持の親交を得た人物であった。

雪舟が生きた時代は、室町将軍家を中心に禅宗とともに水墨画を愛で楽しみ、創作する世界が広がりを見せていた。

春作佐禪良林禾祥賀

勝定院殿名筆

寒山尊儀　出

手中一巻経つ義不つ義

一ケ字宜シ一ケ風狂子

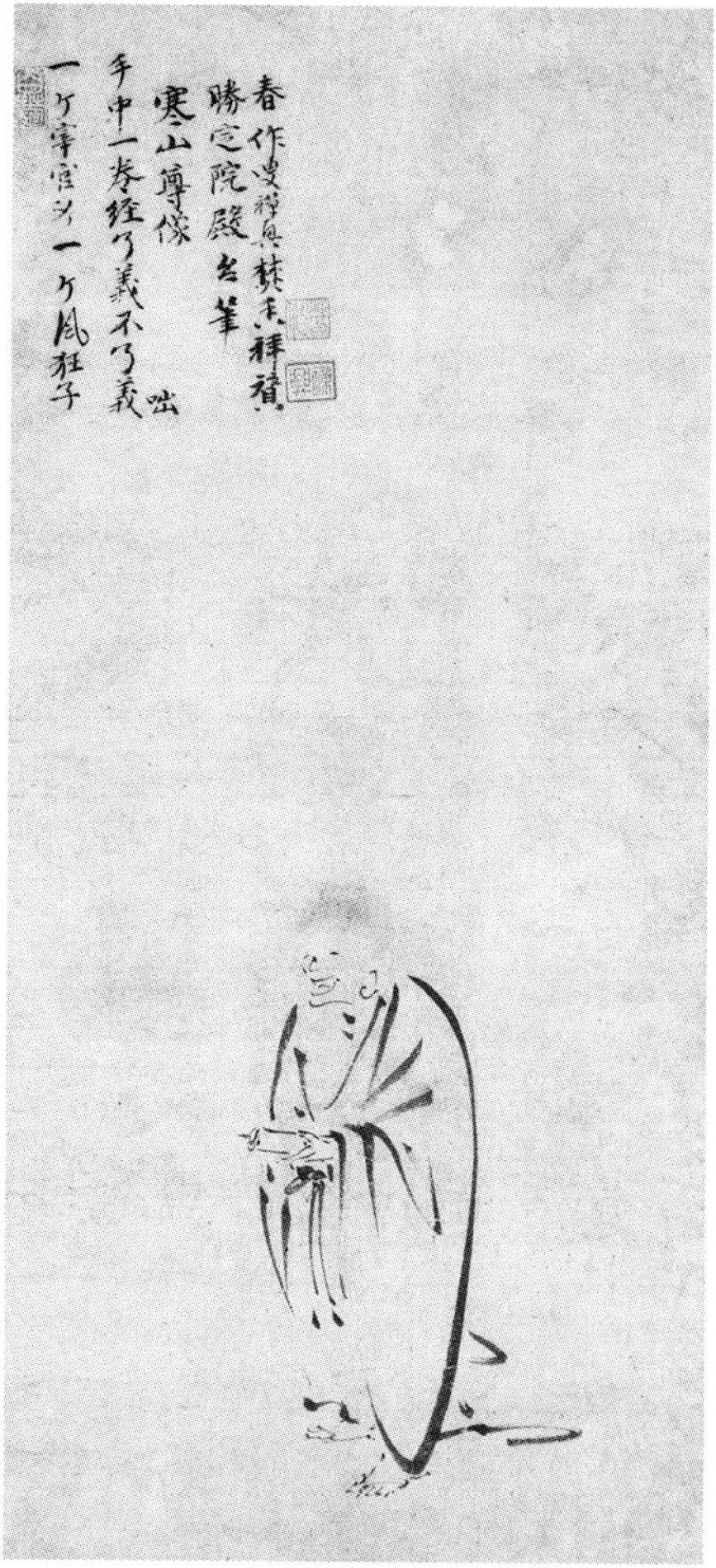

雪舟等楊《山水図（倣玉澗《ほうぎょくかん》）》　重要文化財　室町時代　紙本墨画　１幅

当館は国立の施設を除く公立館としては全国的にも数少ない貴重な水墨画コレクションを有するが、本図は、昭和56（１９８１）年、当館開館を準備する中で購入された本県初の雪舟作品で、その後のコレクション形成の核となったものである。即ち、雪舟と雪舟が学んだであろう中国の画人たちの作品や先行する日本の水墨画、雪舟と同時代の作品、そして雪舟の影響を受けた弟子筋やその後の水墨画派―と、雪舟を中心に日本の水墨画の展開を検証していくための作品が収集対象となった。

本図は、円窓形に画した内側に湿潤な溌墨技法によって山水の景が描かれ、「雪舟」の落款があり、さらに枠外右下に「玉澗」と墨書されている。本図と同様に「雪舟」の名とともに中国の画人名が記された作品は複数点確認されており、画の注文を受ける際にどの筆様で描くかの見本帖とされたと考えられている。また近年では、元時代の文人画家らによって始められた「倣古」を意識したもので、これ自体で鑑賞された可能性もあることが指摘されている。いずれにせよ、雪舟が中国の画人たちの作風を大いに学び、取り入れ、自身の画法を確立していったことを裏付けるものといえよう。

雪舟
玉澗

秋月等観《しゅうげつとうかん》《山水図》　室町時代　紙本墨画　1幅

秋月は室町時代後期の画僧で薩摩島津氏の家臣であったが、出家して山口にいた雪舟を訪ね、画法を学んだ。延徳2（1490）年に雪舟より71才の自画像をもらい受けており、これは画法伝授のしるしであったと考えられている。

雪舟同様、雪舟の弟子たちも、しばしば玉澗様の溌墨山水を手掛けており、当館にもそれぞれが比較できるよう、秋月や周徳、揚富らの作品を収蔵している。秋月の手による本図は、薄墨を掃き散らし、やや粗野な印象を受けるが、雪舟の溌墨山水とほぼ同じモチーフを組み合わせている。即ち、屋宇《おくう》とそれが酒楼であることを示す旗と思われる線と点も共通するほか、画面中央やや上方に、筆を跳ね上げたように表される樹木の表現も、雪舟画から直接摂取した可能性が高い。

雪村周継《せっそんしゅうけい》《瀟湘八景図屏風《しょうしょうはっけいずびょうぶ》》　室町時代末〜桃山時代　紙本墨画・金泥　6曲1双

洞庭湖とそこに流入する瀟水と湘江の合流する水郷地帯（湖南省長沙一帯）は風光明媚な景勝地で知られ、その界隈の八つの名所を描いたものを瀟湘八景という。北宋の文人・宋迪が創始したと考えられており、南宋時代には夏珪や馬遠らによっても描かれ、流行したことがわかる。日本には牧谿や玉澗の瀟湘八景図が伝来しており、室町時代の画家たちも大いに好んだ画題であった。

室町時代後期、茨城や福島など関東画壇で活躍した画僧雪村もそのひとりで、巻子や画帖、掛軸、屏風、襖など、さまざま形状にたびたび瀟湘八景を描いた。江戸時代後期、松平定信が編纂した『集古十種』には、雪村が牧谿に倣った「瀟湘八景図巻」を進上したと伝えられ、現存する雪村の瀟湘八景図からも南宋絵画の学習を看取できる。本図は屏風一双の大画面に、右隻右から山市晴嵐・洞庭秋月・遠寺晩鐘・瀟湘夜雨、そして右隻左から左隻右にかけて漁村夕照がひろがり、遠浦帰帆・平沙落雁・江天暮雪の順に八景を連続的に描く。八景を描き分けるというより、春から冬へ移り変わる季節の中に八景をシンボライズする景物を自然に描き出している。金泥が刷かれた画面は装飾性を高め、次の時代を予見するようだ。

（右）

（左）

宮本武蔵《布袋竹雀枯木翡翠図《ほていちくじゃくこぼくひすいず》》　江戸時代　紙本墨画　3幅

大きな袋を背負い、団扇を手に片足を挙げて踊るような仕草の布袋は目を細め、柔和で楽しげである。左右は、細竹の中ほどに停まった雀と枯木の頂から下方を窺う翡翠がそれぞれ一辺に寄せて描かれ、アーチ状に中央の布袋を取り囲む。各々単幅でも十分に観賞に耐え得るが、三幅並べることでさらに立体的で動きのある空間、緊張感が生まれてくる。広い余白に少ない筆数で滲みや擦れ、濃淡によって対象を表す墨技は見事で、武人画家である武蔵の魅力を伝える逸品である。

宮本武蔵（1584―1645）は二天一流の創始者で『五輪書』を著した兵法家として有名で、誕生地については岡山の美作説、兵庫の播磨説が拮抗している。武芸者として諸国を遍歴し、後に熊本藩主細川家に仕え、同地において画作を本格化させたとみられる。

（左）

（中）

（右）

不詳《桃太郎絵巻》　江戸時代　紙本着色　2巻

本絵巻は上下2巻から成り、第1巻は、老爺は山に芝刈りに、老婆は川へ洗濯にというお決まりの情景から始まり、老婆の前に青い桃が流れつき、その桃を老夫婦が食べたことで若返り、男児が誕生。成長した男児は鬼退治へ旅立つ。旅中、猿、犬、雉が伴に加わる。第2巻は桃太郎と伴の猿、犬、雉が鬼ヶ島へ渡り、鬼の本拠地に乗り込んで闘いの末、鬼を降伏させ、財宝を獲得するシーンで終わる。

桃太郎話の最も古い本は享保8（1723）年に出版された「もも太郎」といわれる。本絵巻は桃太郎話を図像化したものとしては最も早い18世紀前半の本格的な作例と見られ、人物表現や岩の特徴から狩野派に属する画家の手になるものと判断される。情趣豊かな桃太郎の生家や自然の景物、色鮮やかで個性的な登場人物たちは魅力的で、技巧的にも優れた描写から当時有数の絵師が関与したと考えられる。

（部分）

浦上玉堂《山雨染衣図《さんうせんいず》》　重要文化財　江戸時代後期　紙本墨画淡彩　1幅

文人画家として広く知られる浦上玉堂（1745―1820）は、備中鴨方藩士の子として、岡山城下の天神山、まさに当館が建つこの地にあった藩邸内で生まれた。40歳過ぎまでは藩士として仕え、儒学や医学、薬学といった学問を修め、芸術分野にも親しんだ。殊に七絃琴については演奏のみならず作曲、造琴もし、生涯、琴士、即ち音楽家であることを誇りとした。50歳の時、ふたりの息子を連れて脱藩、諸国遍歴の後、晩年は長子春琴と京都に住まい、琴詩書画三昧の文人たちとの交流を楽しんだ。画業については独学で学んだらしく、擦筆、渇筆、焦筆などの筆墨を駆使し、独自の水墨画を成した。最も文人らしい文人のひとりと評価される。

近年倉敷の素封家大原家より寄贈された本図は、玉堂小品中の名品に数えられる一幅で、画面下方半分に、雨上がり、濡れそぼる樹木が葉を振るうかのように揺れる様を描き、中景には次第に明るくなる人里を白い紙肌を生かし、薄い墨と淡い代赭《たいしゃ》で表す。遠景の山々は雨霧に烟り、まだ雨が止まぬ頂は濃墨を類える。玉堂が得意とする雨晴の景、移ろう気象の一瞬を見事一景に収める。

浦上玉堂《山澗読易図《さんかんどくえきず》》　江戸時代後期　紙本墨画淡彩　1幅

ハガキほどの小品から一畳ほどの大作まで、縦横無碍に筆墨を振るい、思いのままに個性的な画を成した玉堂。本図は、大幅を代表する一作で、重畳する山峰の谷間を清水が流れ落ち、鬱蒼と生い茂る樹間に小さな茅屋が見え、窓辺に坐した高士は『易経』を手にする。『易経』は儒教の経典のひとつで、陰陽二元をもって森羅万象を説く。玉堂は、大自然と人事の理を大画面に表し、画全体がひとつの宇宙を構成しているようだ。墨を大きくこぼし、一見粗野にも見えるが、筆技は荒々しくも繊細で変化に富み、力強い。庵屋の周辺、樹木に淡い代赭が色を添える。

浦上春琴《うらかみしゅんきん》《花卉図巻《かきずかん》》　文化13（1816）年　絖本着色　1巻

浦上春琴（1779―1846）は、玉堂の長男として岡山城下に生まれる。16歳で父の脱藩に伴い、各地を遊歴。少年の頃より詩画に親しみ、30歳から3年間長崎に滞在し、船載された明清《みんしん》画や南蘋《なんぴん》系の濃彩華麗で写生的画風の影響を受けた。中国画を学び、写生を基礎とする春琴の清麗で気品のある山水や花鳥は、多くの人の好むところとなり、京都において父玉堂をしのぐ人気作家として活躍した。文人気質に富み、頼山陽ら多くの文人と交わり、関西文人画壇に重きを成した。

本作は光沢のある上質な絹地（絖本）の画巻で、蓮、大根、山桃、山葡萄、野茨、撫子、擬宝珠、鶏頭、石榴、百合、大手毬、藤、胡瓜、自然薯、浜茄子、瓜、黄蜀葵（トロロアオイ）、水仙、山茶花など四季の花卉や蔬菜が次々に登場する。各々のモチーフは連続性を持たず、それぞれに独立した姿形で描かれており、鑑賞用であるとともに絵手本としても有用であったと思われる。越中（富山）の門人のために制作したことが巻末に記されている。

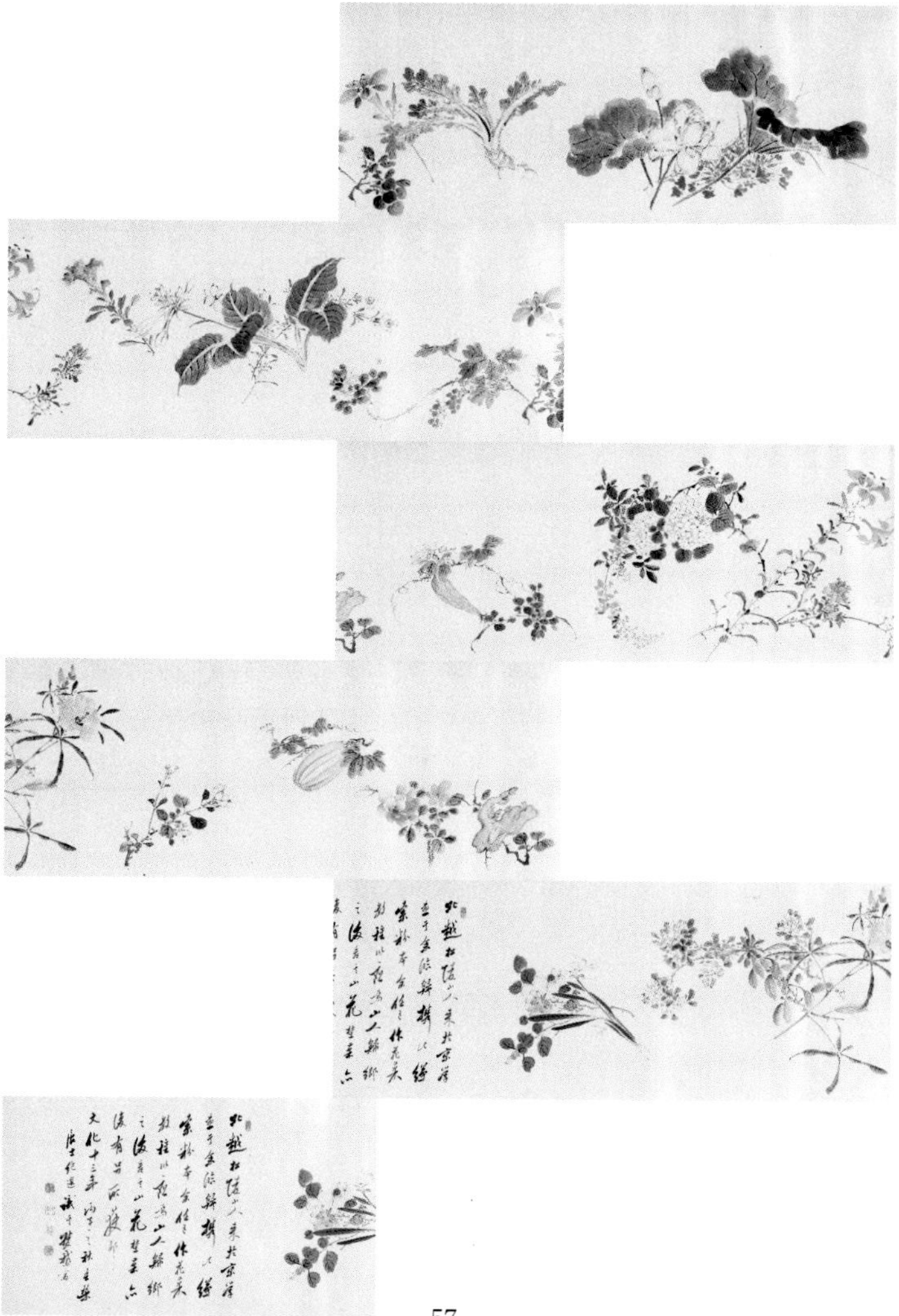

淵上旭江《ふちがみきょっこう》《五畿七道図《ごきしちどうず》》　寛政8（1796）年序　絹本着色　16帖484図

淵上旭江（1753―1816）は現玉野市の農家の生まれで、備前・備中を来訪した京都の大西酔月に学んだ後、20歳頃に当地を離れて四国から九州へ渡り、長崎にて中国明清画を習得。その後、諸国を遊歴し、寛政6（1794）年には大坂に居を構え、文人たちと交流する日々を過ごした。寛政11（1799）から享和2（1802）にかけて、諸国名勝を写生した画稿を整理し、計8冊の木版画集『日本勝地山水奇観』として刊行。当時盛んになりつつあった旅行熱に拍車をかけ、後に画の一部が歌川広重の名勝錦絵に転用されるほどの人気作となった。

本図はその原本ともいうべきもので、実際に旭江が東北から四国・九州まですべてを踏破し実見したかは定かではないが、津々浦々の名所旧跡を山陰奇勝50図、山陽奇勝60図、南海奇勝56図、西海奇勝74図、五畿奇勝58図、東海奇勝62図、東山奇勝68図、北陸奇勝56図にまとめ、それぞれを上下2帖計16帖に収められている。いずれも細緻な描線に色鮮やかな青緑の濃彩、金泥線を施すなどし、上質で美しい画帖である。注文主は大坂で廻船問屋を営む和田隆候であった。

藤本鉄石《放魚図屏風》　文久2（1862）年　紙本墨画淡彩　6曲1双

藤本鉄石（1816―1863）は現岡山市に生まれ、岡山藩の小吏であったが25歳で脱藩。京都を拠点に諸国を遊歴し、国学や陽明学、剣術、軍学を修め、後に京都伏見奉行の依頼で学校を開くまでになった。やがて尊皇攘夷思想に共鳴し、文久3（1863）年「天誅組」を組織、天誅組三総裁の一人となり、大和で挙兵したが十津川で戦死した。勤王画家と知られる。

画は岡山で伊藤花竹に学んだ後は独学で筆技を磨いたと思われ、力強い筆力の中に瀟洒な雅趣が感じられるところが魅力である。「放魚図」は仏法用語で「法生」すなわち捕らえた生物を放ち逃がす慈悲の行いを表す。右隻で僧が放つ魚は小さいが、左隻、うごめく波間を力強く泳ぐ魚たちは大きく存在感が増している。動きのある描線が重なりあい、ダイナミックに描かれる大海原や岩礁に対して魚や海老、人物の表情などには繊細で丁寧な表現が見られる。鉄石としては珍しい大作で、鉄石の技量を示す好例である。

（右）

（左）

岡本豊彦《梅渓春雨《ばいけいしゅんう》・竹坡夕陽図《ちくばせきようず》》　江戸時代　絹本淡彩　2幅

岡本豊彦（1773―1845）は現倉敷市の生まれで、10代半ば頃、玉島在住の南画家黒田綾山に師事、その後大坂に赴き、綾山の師であった福原五岳にも学んだ。寛政8（1796）年頃、京都で四条派の呉春に入門、以後呉春の作品をすべて粉本として写して学んだとされ、呉春門弟筆頭として活躍する。写生画風を基調に南画的雰囲気が加味された山水を得意とした。塩川文麟や柴田是真をはじめ、多くの門人を集め、豊彦の画系は後の近代日本京都画壇に受け継がれ、岡山と京都画壇を結びつけるキーパーソンの一人でもある。

本図は春雨に濡れる谷間の梅林、夕日に映える堤の竹林が繊細な描線と淡い色彩で丁寧に描かれる。中景と遠景の間にぼかしやたっぷりと余白をはさみ、画面奥、上方へと景観の広がりを表現している。添えられた小さな人物たちが情景を物語り、抒情性を醸し出している。

富岡鉄斎《雪舟逸事巻《せっしゅういつじかん》》 明治22、23（1889・90）年 紙本着色 2巻

富岡鉄斎（1836―1924）は京都で法衣商を営む商家に生まれ、幼少の頃から漢学、国学、儒学等幅広い教養を身につけ、幕末期には勤王家として奔走、維新の頃より学者として知られるようになった。明治15（1882）年、京都薬屋町に居を定め、「万巻の書を読み、万里の路を往く」文人生活を貫いた。画は小田海僊、浮田一蕙らに学ぶが、流派を問わず広く手本とし、斬新な構図や色彩感覚で独自の画風を成した。

鉄斎は好んで昔の画家の伝記を調べたが、本図は鉄斎が尊崇した雪舟の事蹟を画と書で描いたもの。第1巻では「筆転聖胎」の題字を記した後、雪舟が入明して訪れた天童山景徳禅寺の伽藍と連なる山々、景観を描き、最後に「天童山志」と記す。第2巻は雪舟が作庭したと伝えられる島根県益田市の萬福寺の池泉庭園を描き、その後ろに雪舟の伝記資料が『本朝画史』の雪舟伝から「雪舟二字説」、「雪舟送別詩并序」、「雪舟為余作金山寺図并敍」、さらに雪舟が弟子宗淵に与えた「破墨山水図自賛」を書写している。

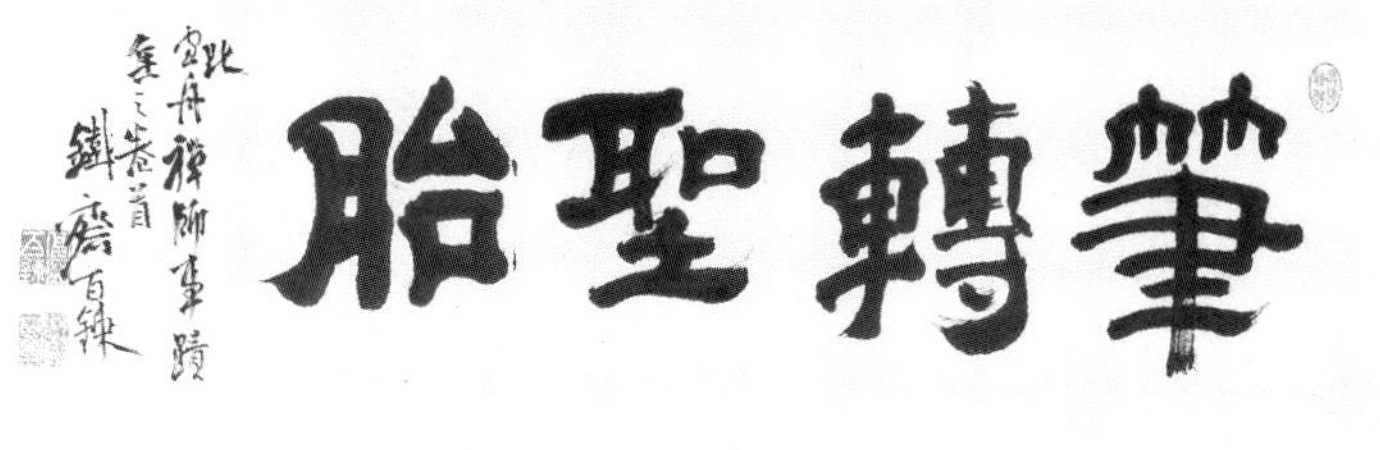

（部分）

小野竹喬《夕茜》昭和43(1968)年　紙本着色　1面

鮮やかな茜色が広がる秋空に浮かび上がる樹木は黒、白、黄金色に輝く。色数を抑えた明るく澄んだ色彩と景物の単純化を押し進め、自然の織りなす美しいドラマを象徴的に描き出す。作者小野竹喬（1889―1979）79歳の作品で、この年、竹喬は文化功労者の表彰を受けるなど、独自の風景表現が高く評価された。

竹喬は笠岡市に生まれ、京都に出て竹内栖鳳に師事した後、京都市立絵画専門学校に学んだ。大正7(1918）年、新しい日本画の創造をめざし、土田麦僊らと国画創作協会を結成。同会解散後は文展に復帰し、戦後は日展で活躍した。初期の作品には西欧の後期印象派や日本の南画の影響が見られ、後には色彩豊かな造形主義的傾向が強まる。自然の情趣をしみじみと感じさせる静謐な風景画を多く残した。

池田遙邨《雪へ雪ふるしづけさにをる山頭火》 昭和61（1986）年 紙本着色 1面

池田遙邨（1895―1988）は倉敷市に生まれ、大阪に出て、洋画家松原三五郎の天彩画塾に入門。初めての個展を福山で開催した際、竹喬と出会い、日本画に興味を覚えた。大正8（1919）年竹喬をたより、栖鳳の画塾に入門、その後、京都市立絵画専門学校に学んだ。大正期には暗い主題を好む時期が続いたが、大和絵や南宋画などの古典研究を経て、軽妙で飄逸な画風を確立した。徒歩による東海道写生旅行や北海道、南海道を巡り、新しい風景画の境地を拓き、戦後は文学やニュースに触発されながらも、どこか現実離れしたような幻想的な画をよくした。

遙邨は昭和59（1984）年から代表作となる山頭火シリーズを発表。自由律俳人種田山頭火の句をテーマに作品を制作するが、句意に忠実な絵画表現を目指すのではなく、句から喚起された遙邨自身の心象風景を描き出した。本図の仲良く戯れる3匹の狐の姿や温かみのある色調は、積雪の中、ひとり行く山頭火の孤独感よりむしろ、明るくのどかな印象を受ける。

大愚《だいぐ》良寛《詩書屛風》　江戸時代　紙本墨書　12紙貼付6曲1双

良寛（1758—1831）は江戸時代後期の禅僧で、現新潟県に生まれた。18歳頃出家し、22歳の時、現倉敷市の円通寺住職国仙和尚を知り、彼の下で修行参禅した。国仙の死後、中四国を遍歴し、越前に戻る。

良寛の書は、中国や日本の様々な古典に学びながらも自由闊達で奔放さがある。薄く細く、一見、か弱く見える筆線が強さや鋭さを感じさせたり、良寛の人柄を彷彿とさせるような優しさをも滲ませている。独特なリズムと動きのある個性的な書風は、さまざまなエピソードとともに多くの人に愛されるところであり、その書を学ぶ追随者も多い。本作は、6曲1双に自詠の和歌や七言、五言の漢詩を書きまとめたもの。右隻第1扇から第4扇には「ときはぎの」で始まる長歌を、第5、6、7扇は漢詩を1扇1首書く。左隻第1扇には「十字街頭乞食了…」、第2扇に「生涯懶立身…」、第3扇に「宅辺有苦竹…」など良寛が好んで度々揮毫した漢詩が並んでいる。

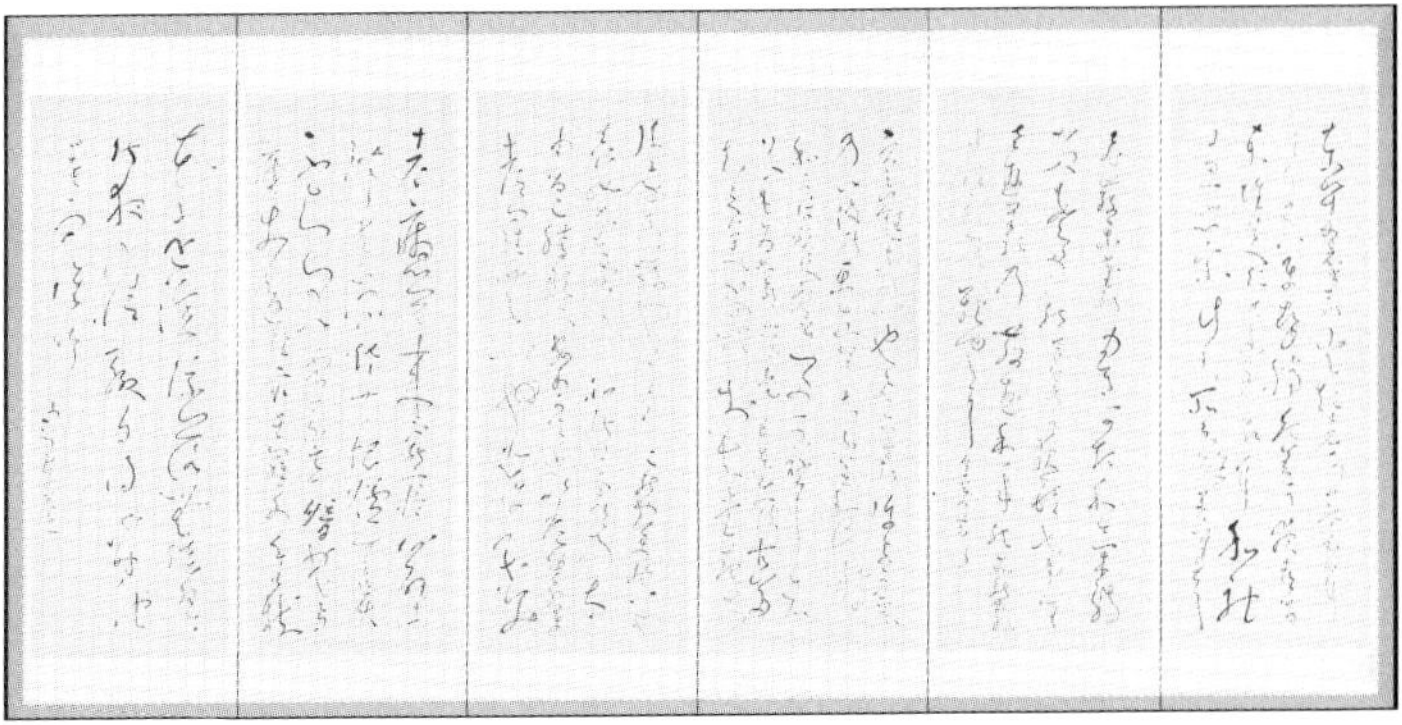

高木聖鶴《たかぎせいかく》《万葉集三首歌書「黄薇風韻」》 平成13（2001）年 絹本墨書 1面

高木聖鶴（1923—2017）は総社市に生まれ、生涯学べるものをと書を選び、昭和22（1947）年より書家内田鶴雲に師事。同25（1950）年日展に初入選して以後、同展に出品、入選・入賞を重ねた。自らの書作とともに多くの団体で役職を務めるなど書の振興に尽力、岡山のみならず日本の書道界に重鎮として活躍した。平成25（2013）年岡山県在住者として初の文化勲章を受章。中国や日本の古筆を徹底的に学び、気品ある仮名書を追求した。

　本作は、仁徳天皇が黒姫を詠んだ「山県に蒔ける青菜も吉備人と共にし摘めば楽しくもあるか」、藤原資実が松井池を詠んだ「常磐なる松井の水をむすぶ手の雫ごとにぞ千代は見えける」、藤原隆博が正木山を詠んだ「時雨つる正木の山の背向そかひより見ゆる紅葉の色のてこらさ」と、黄薇（吉備・岡山）にゆかりのある歌3首を大画面に力強く連綿と書く。仮名書は掌で楽しむだけではない会場芸術となり、流れる筆墨の動きや間合い、大小濃淡が見せる景色は抽象絵画を見るようだ。

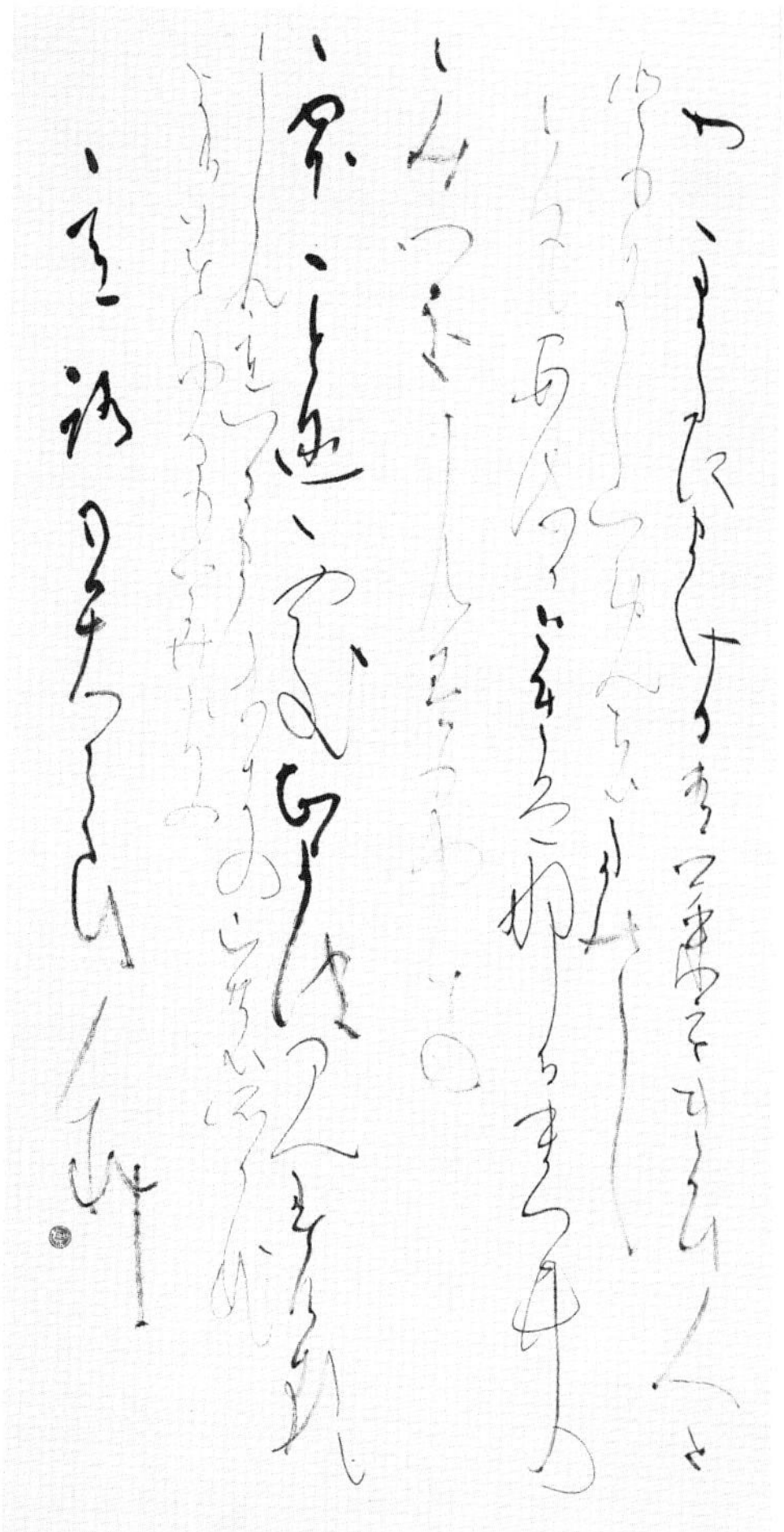

渡辺文三郎《わたなべぶんざぶろう》《富士の絵の掛る室内》　制作年不詳　油彩・カンバス

備中国矢掛に生まれた渡辺文三郎（1853―1936）は、はじめ四条派の画家に学び、興譲館で漢籍を修めるも、明治6（1873）年に上京して初代五姓田芳柳のもとで洋画を学んだ。1876年に芳柳の娘で画家の幽香と結婚し、「おしどり画家」と呼ばれた。東京英語学校の図画教師となり、義兄の五姓田義松が渡仏した際には五姓田塾を預かって弟子たちの指導にあたった。明治美術会の創設に参加し、後年には文展にも出品するなど明治から昭和初期にかけて活躍した。

どこか遠くを見るように少し顔を左に振り向けた和服姿の女性が和室に立っている。女性の後ろの壁には、富士山を背景に湾を進む汽船を描いた絵が掛けられている。その絵は長押を覆い隠すほど壁に対して不自然なまでに大きく、畳や床板、袋戸棚などの線遠近法の破綻した描写とともに室内の遠近感を狂わせることに一役買っている。制作年は明らかではないが、室内の様子のぎこちない描写を考慮すると、おそらく渡辺がいまだ西洋画法に習熟しきっていない頃の作品なのだろう。

松岡壽《ピエトロ・ミカの服装の男》　明治14（1881）年　油彩・カンバス

幕末の岡山に生まれた松岡壽（1862―1944）は、明治13（1880）年にローマへ留学してチェザーレ・マッカリに師事したのち、王立ローマ美術学校に入学して優秀な成績で卒業した。

本作はローマ滞在中の作品で、画面裏には「明治十四年十一月ローマニ於テ／モデル（ルチャーナ）ニ『ピエトロミカ』ノ服装ヲセシメテ／写生ス／松岡壽」とある。このピエトロ・ミカとは、18世紀はじめにヨーロッパ諸国間で起こったスペイン王位継承戦争におけるトリノの戦いにおいて、町に攻め込んできたフランス軍を坑道から我が身もろとも爆破して防いだ救国の英雄である。自己犠牲の精神に溢れたこの物語は、松岡が随行していた洋画家で外交官の百武兼行の感動を呼び、彼にピエトロ・ミカ図を描かせることになった。松岡は、坑道を描く際の参考のためコロッセオへ写生に通う百武に同行し、本作と同じモデルが地雷に点火するポーズをとる素描を残している。そうした先輩画家百武のピエトロ・ミカ図の制作に付き合っていく過程で本作も描かれたのだろう。

原田直次郎《風景》 明治19（1886）年 油彩・カンバス

幕末の江戸に生まれた原田直次郎（1863―1899）は、明治17（1884）年にドイツのミュンヘンに留学し、現地の美術アカデミーとガブリエル・フォン・マックスの私塾に通って西洋絵画を本格的に学んだ。

木漏れ日を受けた緑眩しい草上に二人の子供がくつろぎ、視線の先の鳥を見つめている。画面左奥の建物の屋根には十字架があり、画面中央には聖霊の象徴のように鳩が舞い降りている。しかし、原田の画帳（アーティゾン美術館蔵）に残されるこの下絵にあたるスケッチには、建物の屋根の十字架も聖霊を思わせる鳩も描かれていない。本作の画面裏には「バブヒエール國ヘルツヲク山ノ麓コヘル村ノ圖 明治十有九年七月 原田直次郎写生之」とある。このコヘル村とはミュンヘン南方の湖畔の町コッヘル・アム・ゼーのことで、森鷗外の『独逸日記』によると、原田は避暑のため恋人のマリイとともにこの地に滞在していた。本作は現地での写生に基づきながらも暗示的なモティーフが付け加えられた、写実的かつ理想主義的な風景画といえるだろう。

松原三五郎《海景》　大正4（1915）年　油彩・カンバス

備前岡山藩のお抱え医師の子として幕末の岡山に生まれた松原三五郎（1864―1946）は、画家を志して明治13（1880）年に上京し、初代五姓田芳柳に師事した。1884年に帰郷後は岡山県師範学校と岡山尋常中学校で教えるかたわら、画塾天彩学舎を主宰した。その後、1890年に大阪に移ってからも教鞭をとりながら天彩画塾を開き、数多くの洋画家を育てるなど教育者として大きな功績を残した。

波打ち際に接近した位置から、ごつごつした磯の岩、打ち寄せる波の大きな飛沫、泡立つ水面がリアルに描き出されている。はるか遠く高い位置にとられた水平線には小さな帆船が浮かんでいる。磯に打ち付ける波と飛沫の迫力あるダイナミックな眼前の景色と、穏やかに海を進む遠くの帆船の様子が正確な描写によって見事に対比された作品となっている。なお、この4年後に制作された同構図の作品が大阪市立美術館にあるが、サイズが一回り大きくて完成度も高いため、おそらく現地で制作した本作をもとにアトリエで手を入れて完成したものであろう。

原撫松《老人像》　明治39（1906）年　油彩・カンバス

幕末の岡山に生まれた原撫松（1866—1912）は、明治14（1881）年に京都府画学校に入学して小山三造や田村宗立に洋画を学んだ。同校卒業後に京都や滋賀で図画教員として過ごし、20歳の頃に帰郷して肖像画を描く生活を送ったのち、30歳の時に上京して伊藤博文や西園寺公望らの肖像を描いて肖像画家として名を馳せた。1904年にロンドンに渡り、ナショナル・ギャラリーなどでレンブラントをはじめとする西洋絵画史上の巨匠たちの作品を模写して伝統的な西洋油彩画の技法を習得した。

ロンドンに渡った当初は模写を繰り返していた原であったが、次第にモデルを前にして制作するようになり、光の強弱を絵具の厚さに置き換え、緻密に何層も塗り重ねることによって獲得された重厚なマチエールを有する独自の作品を描くようになった。本作では、絵具はきわめて薄塗りながら、微妙な色調の変化によって質感が見事に描き表わされている。レンブラント作品の研究の成果が発揮されている、留学時代の代表作のひとつといえるだろう。

鹿子木孟郎《豊後風連洞の古話》 昭和2(1927)年　油彩・カンバス

現在の岡山市に生まれた鹿子木孟郎（1874―1941）は、生涯で三度にわたって渡仏し、歴史画の大家であるジャン＝ポール・ローランスに師事してフランスのアカデミックな油彩画技法を学んだ。帰国後は関西美術院長となり、文展や帝展の審査員も務めるなど、関西洋画壇において指導的役割を果たした人物である。

本作は昭和2（1927）年の第8回帝展出品作である。青みがかった灰色の鍾乳洞の奥に頭光輝く観音が立ち、岩に巻き付くように青龍が大きく体をうねらせている。画面全体が灰色、青色、青緑色といった寒色系で纏められていて、観音と龍の出現する鍾乳洞の神秘性が強められている。豊後風連洞は本作が描かれた前年に発見されたばかりの新しい鍾乳洞であるため、観音と龍にまつわる伝説が実際にあったわけではなく、龍宮城を思わせるその幻想的な雰囲気に触発されて、おそらく鹿子木が創作したのだろう。聖書や神話に基づく歴史画を最上位に置く伝統的なヨーロッパ絵画の理念と技法を身に付けた鹿子木らしい作品といえるだろう。

満谷国四郎《裸婦》　明治28（1895）年　油彩・カンバス

現在の総社市に生まれた満谷国四郎（1874―1936）は、上京して初代五姓田芳柳や小山正太郎に学んだのち、明治33（1900）年に鹿子木孟郎とともにアメリカ経由で渡欧した。帰国後は太平洋画会を結成し、写実的な画風で活躍するも、二度目の渡欧時にポスト印象派などの影響もあって画面を明るく変化させることとなり、また四度にわたる中国旅行を経て、晩年には東洋的な平明で装飾的な画風へと至った。

本作は、満谷が小山主宰の不同舎で堅実な写実表現を行なっていた頃に描かれたものである。下方を見つめながら薄い衣で前を隠してシーツの上に腰かけている女性のプロポーションは理想化され、陰影表現によって肉体の量感や肌の質感が見事に描き出されている。満谷は二度目の渡欧に際して、「不同舎流ではダメだからフランスへ行って根本的に素描からやり直そう」と弟子の柚木久太に語ったことが知られるが、本作はのちに手放すことになるその初期の写実スタイルをよく表している。

赤松麟作《水鳥のいる風景》明治36（1903）年　油彩・カンバス

岡山県津山に生まれた赤松麟作（1878―1953）は、父の商いの失敗により5歳の時に一家で大阪に移り住んだ。明治27（1894）年に山内愚僊から油彩画を学び、1897年には上京して東京美術学校西洋画科に入学した。同校では黒田清輝に師事し、在学中から黒田の主宰する白馬会に出品していたが、卒業後の1901年の第6回白馬会展で「夜汽車」が白馬会賞を受賞し、脚光を浴びることとなった。

本作は、東京美術学校卒業後間もない時期に描かれたもので、赤松が外光派の黒田に師事したことのよくわかる作品である。草木の生い茂る民家の横を流れる川に水鳥が遊んでいる。鮮明な陽の光ではなく、画面全体が薄紫の柔らかい光に包まれていて、早朝の朝もやの中か夕暮れ前の風景といった感がある。東京美術学校で赤松が師事した黒田清輝は、このような薄紫色を作品の中に多用し、戸外の柔らかな光を表現しようとした。本作の抑えられた光の表現も黒田のそれに忠実に従ったものであり、黒田と赤松の師弟関係のわかる作品である。

RINSAKU.
AKAMATSU.
1903

児島虎次郎《水仙を持つ少女》　大正15（1926）年、油彩・カンバス

現在の高梁市成羽に生まれた児島虎次郎（1881―1929）は、明治34（1901）年に上京し、翌年、東京美術学校西洋画科に入学した。1904年に2年飛び級で卒業したのち、1908年に大原孫三郎の援助により渡欧した。はじめフランスで制作し、翌年にはベルギーに移ってゲント王立美術アカデミーでベルギー印象派を学んだ。帰国後は倉敷の酒津にアトリエを構えて制作しながら、孫三郎の要請により大正後期に二度渡欧して大原美術館のコレクションの基礎となる絵画蒐集に奔走した。

本作の舞台は、児島自身が設計して1926年2月に完成した、酒津の新宅兼アトリエ「無為堂」の庭である。水仙を手にして大きな岩の上に座る着物姿の少女は倉敷町長の娘とされ、完成したばかりのアトリエの庭には水仙や梅などの花々が咲き乱れている。リュミニスム（光輝主義）とも称される光溢れる画面を特徴とするベルギー印象派を身につけた児島らしい明るい光の表現によって春の雰囲気が巧みに伝えられた作品といえるだろう。

TORAJIRO KOJIMA

正宗得三郎《パリのアトリエ》　大正12（1923）年　油彩・カンバス

現在の備前市穂波に生まれた正宗得三郎（1883―1962）は、明治35（1902）年に上京してはじめ日本画を学んだが、洋画を志して東京美術学校西洋画科に入学し、在学中は青木繁、坂本繁二郎、熊谷守一らと交友した。卒業後は第3回文展に初入選し、二科会の設置運動に加わるなど活躍したのち、1914年に渡仏してモネやマティスらの作品を見て学んだ。マティスとは帰国が近づいた時期にパリの画廊で偶然出会い、アトリエを訪問するようにもなって芸術論を交わすなど、大きく感化を受けた。その後1921年には二度目の渡仏を果たしている。

本作は、第二期滞欧時代の作品である。この時期、正宗はセザンヌなどのポスト印象派に強く惹かれつつ、マティスにも影響を受けていた。本作では、それまでの印象派風の点描から平塗りの明快な色面構成への移行がみられ、横たわる裸婦や床に敷かれた黄色のストライプ柄のあるオレンジ色のカーペットなどのモティーフ、画面を支配する明るい色彩にマティスからの感化が強く表れている。

国吉康雄《カーテンを引く子供》 大正12(1923)年頃 油彩・カンバス

岡山市出石町に生まれた国吉康雄（1889―1953）は、明治39（1906）年に渡米して様々な職業に就きながら、いくつかの美術学校に通った。1920年代になると個展を開いて画家の道を歩みはじめ、1929年にはニューヨーク近代美術館で開かれた「19人の現存アメリカ作家展」に選ばれてアメリカ画壇での地位を確立した。

ずんぐりとした体型の子供がアーモンド形の大きな目を見開いて一点を見つめながらカーテンを引いている。その表情とカーテンをぐっと握る硬直したポーズから、どこか緊張感が漂っている。この頃の国吉は赤ん坊や子供を頻繁にモティーフとしたが愛らしくは描かなかった。国吉にとって子供は可愛くもあるが得体の知れない、両極併せ持つ存在だったのだろう。いまだ米国社会の中で上手くいくかどうか不確かで、緊張を強いられて生きていた自らを、子供という存在と重ね合わせていたのかもしれない。また、デフォルメされた子供の体の表現にはアメリカのフォークアートの影響がみられ、国吉がアメリカ美術の伝統へ繋がろうとした意識も窺われる。

国吉康雄《祭りは終わった》 昭和22(1947)年 油彩・カンバス

国吉は1925年と1928年の二度にわたってヨーロッパを旅行したのち、1931年に父の病気見舞いのため一時帰国して個展を開催した。1933年には母校のアート・ステューデンツ・リーグの教授となり、戦前から戦後にかけて米国の美術界を牽引する存在として活躍した。

遠くまで広がる荒涼とした大地の斜面とどんよりとした曇り空、そして巨大な屋外看板か建物の壁らしきものを背景に、ひっくり返った木馬が中空に浮かぶように描かれている。木馬の背から腹を軸棒が貫き、先っぽが黒く焦げている。ここはメリーゴーランドがあった移動遊園地の跡地なのだろうか。タイトルにある「祭り」とは、国吉が「祭りは終わった。戦争は終わった。」と言ったように、太平洋戦争のことである。国吉は戦前の1938年にこの作品に着手し、再び取りかかって戦後になって完成した。敵性外国人として戦中も米国に留まった国吉の様々な想いが交錯し、象徴的なオブジェの配置によって、多様な解釈を可能とする作品が生み出されている。

HYGI

坂田一男《キュビスム的人物像》 大正14（1925）年 油彩・カンバス

岡山市に生まれた坂田一男（1889―1956）は、第一次世界大戦後の1920年代のパリに留学し、ピカソとブラックによって創始されたキュビスムをはじめとする前衛絵画を本格的に学んだ画家で、日本の抽象絵画の先駆者として知られている。

本作は、三次元の描画対象を幾何学的な形に分解して二次元の画面上に再構成するというキュビスムの手法により、人体の各パーツがバラバラに解体され、円錐形の連続体として再構築されている。パリのアカデミー・モデルヌで師事したフェルナン・レジェがかつて描いていた、球形や円筒形からなるロボットのような人体の影響を色濃く残しつつ、所々透明な淡い色彩による絶妙なグラデーションで仕上げることによって、ロボットのようでありながら温かみのある人物像となっている。画面上部中央の球形の頭と画面左下の前に出した足、画面右下に伸びる斜めの線によって安定的な三角形の構図が作られている。コンポジション、すなわち配置や構成を探求し続けた坂田の留学時代を代表する作品といえるだろう。

坂田一男《コンポジション(メカニック・エレメント)》 昭和30(1955)年　油彩・カンバス

昭和8(1933)年に帰国した坂田は、岡山の玉島に自宅兼アトリエを建て、1956年に亡くなるまで自己の絵画の造形的探究に没頭した。中央画壇との交流は拒絶した坂田であったが、玉島の画家たちと美術団体を結成したり、1949年には「A・G・O(アヴァンギャルド岡山)」を主宰して若手作家たちを指導したりして後進の育成にも励んだ。

坂田はA・G・Oの研究会でモティーフとして削岩機を出したことが知られているが、本作ではその削岩機の部品が描かれている。手で握るハンドルやボディ、岩を打ち砕くドリルなどの各部品が解体され、上から下へと水平に配置されている。色彩は大部分が白と黒のモノクロームに抑制されているものの、画面上部の青や赤、黄が差し色のように効果的に用いられている。無機質な機械の部品の描写ではあるが、微妙に震えるような肥瘦濃淡のある線で描かれ、絵具の物質感の残る絵肌となっており、線や形は単純に幾何学的なものへと還元されてはいない。最晩年の坂田を代表する作品といえるだろう。

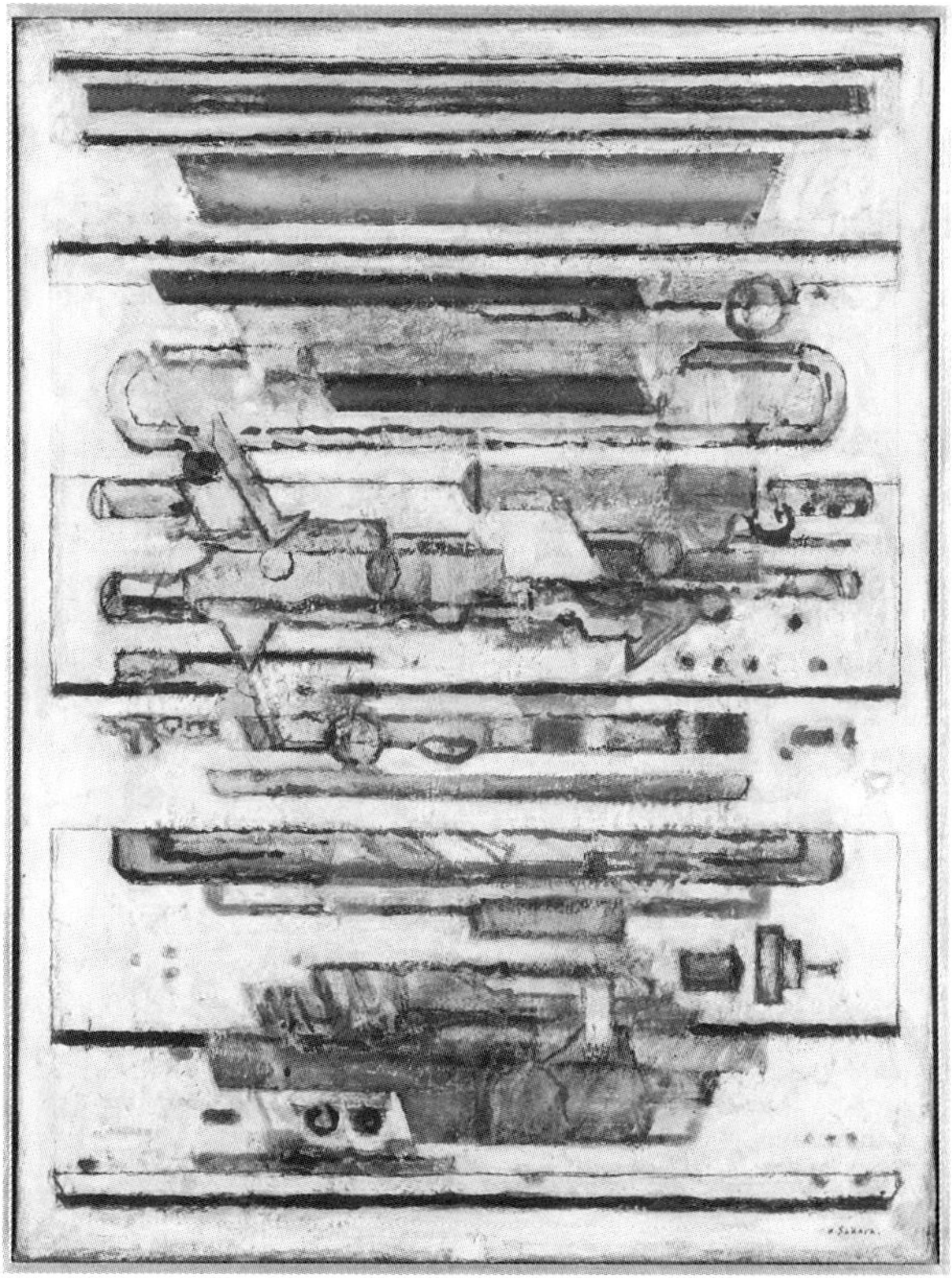

中山巍《ギリシャの追想》　昭和12（1937）年　油彩・カンバス

岡山市天神町に生まれた中山巍（1893―1978）は、大正3（1914）年に東京美術学校西洋画科へ入学して藤島武二に師事し、在学中に第一回帝展に入選した。1920年に渡仏して里見勝蔵や佐伯祐三ら美術学校以来の友人たちと交友しつつ、ヴラマンクやシャガールとも接して影響を受けた。

画面を大きく占める二体のモニュメンタルな古代彫像の周囲に、布や壷、百合の花が円環状に配置され、全体として個々のモティーフが浮遊しているようなシュールな印象を受ける作品である。ここに描かれる二体の彫像は、アテネのアクロポリスにあるパルテノン神殿の破風をかつて飾っていたが、19世紀初頭に英国に持ち去られたエルギン・マーブルとして知られる彫刻群に含まれ、現在は大英博物館にあるものである。中山自身が「知人から借りたパルテノンの書物を見てゐたら、余り美しいのでそこからヒントを得て作りました」と語るように、本作は図版に基づいて描かれたものであるが、ギリシャを連想する文物が見事に画面上に構成されている。

岡本唐貴《争議団の工場襲撃（復元画）》　昭和49（1974）年　油彩・カンバス

現在の倉敷市に生まれた岡本唐貴（1903―1986）は、大正9（1920）年に画家を志して上京し、1922年に東京美術学校に入学するも、翌年には中退した。岡本は大正期に新興美術運動の影響を受け、キュビスムからダダイズム、新即物主義まで目まぐるしく作風を変化させた。昭和4（1929）年に日本プロレタリア美術家同盟が創立されると中央委員となり、その解散後も研究グループを結成して活動を続け、プロレタリア美術の旗手として活躍した。

本作は、若き日の岡本が1929年の第2回プロレタリア美術展に出品した300号の大作の復元画で、1974年に元の半分のサイズで再制作したものである。原画が描かれた頃は労働争議が頻発し、プロレタリア思想も先鋭化していて、情熱を傾けられるプロレタリア美術運動は若き岡本にとって魅力的に映ったのだろう。「群像のちみつな重なりあいからくる圧力」があったという原画を知る批評家によると、本作はその迫力に数段の差があるというが、当時の美術運動を伝える時代の証言として意義深い作品である。

竹内清《ロマネスクの寺》　昭和53（1978）年　油彩・カンバス

岡山市に生まれた竹内清（1911―2008）は、昭和6（1931）年に京都高等工芸学校図案科へ入り、関西美術院夜間部でも絵画を学んだ。帰郷して洋画家として活躍する一方、天満屋宣伝部ではデザイナーとして様々な仕事を手掛け、さらに岡山大学やノートルダム清心女子大学では数多くの学生たちを育てた。洋画家、デザイナー、教育者として、戦後岡山の美術界において主導的な役割を果たした。

1970年代になると竹内は、渡欧してギリシャやイタリア、フランスを巡り、中世キリスト教美術から感化を受けた。本作では、堅牢で重厚感のあるロマネスク聖堂のファサードや鐘楼、身廊などが抽象化され、平面的に構成されて描かれている。建築部分が平面で捉えられて表されているものの、その色面は以前の明るく均質で明快なものではなく、深緑や紺色、茶色といった渋く深みのある色彩によって古色を帯びた絵肌となっている。中世ロマネスク聖堂をモティーフにした作品らしい重厚感があり、静謐な雰囲気が漂っているといえよう。

斎藤真一《さすらいの楽師》 昭和54(1979)年 油彩・カンバス

倉敷市児島に生まれた斎藤真一（1922―1994）は、昭和17（1942）年、東京美術学校に入学し、学徒出陣を経て1948年に卒業した。故郷の児島などで教職に就いたのち、36歳の時に渡仏し、藤田嗣治と交友した。帰国後は、旅先の津軽でその存在を知った瞽女《ごぜ》を主題とする作品を数多く手がけ、晩年には吉原遊女を主題とするなど、一貫して人生の悲哀にみちた世界を描き続けた。

黒いスーツ姿の男が、遠くに風車小屋だけが建つ茅草の大地にたたずんでいる。口髭を蓄えた痩身の男は、小脇にヴァイオリンを抱えてこうもり傘を手にし、何か深い悲しみに堪えるかのように目を閉じて首を傾げている。斎藤は、1970年代後半になると、帰国後のライフワークともいえる瞽女シリーズを一時中断し、荒野にたたずむ老紳士など男の悲しみを描くようになった。本作は、1979年に旅をした、白い風車で名高いスペインのラ・マンチャの荒涼とした大地にたたずむ、悲哀と寂寥感を漂わせたさすらいの楽士が主題となっていて、斎藤に特有のメランコリックな世界が広がっている。

有元利夫《会話》　昭和55（1980）年　混合技法・カンバス

舞台を思わせる空間に立つ一人の人物が、カーテンのむこうに手をかざし、すき間から漏れる神秘的な光を浴びている。その仕草は、「会話」というタイトルを暗示するように、誰かに話しかけているようにも映る。カーテンの奥には青空が広がり、下方には山々の連なりが小さく覗いている

疎開先の岡山県津山市で生まれた有元利夫（1946―1985）は、生後間もなく戦前から住まいがあった東京都台東区谷中に移り育ち、昭和44（1969）年に東京芸術大学美術学部デザイン科に入学した。在学中に渡欧してイタリアで出会ったフレスコ画に深く感動し、歴史を経た画面の風合いを自らの作品の中でも再現しようとした。本作にも見られる擦れのような画面の傷は意図的に表現されたものである。有元の作品は、フレスコ画を模した画面や様式化された無表情の人物、謎めいた主題など、観る者の想像を掻き立てる要素に溢れている。

平櫛田中《五浦釣人》　昭和38（1963）年　木彫

現在の岡山県井原市に生まれた平櫛田中（1872―1979）は、大阪で人形師の中谷省古に木彫を学んだのち、上京して高村光雲に師事した。その後、岡倉天心の知遇を得て日本彫刻会の結成に参画し、再興日本美術院展でも出品を重ねた。伝統的な木彫技術に西洋の写実的表現を加えた新たな作風で知られ、近代日本を代表する彫刻家として107歳で亡くなるまで精力的に活躍した。

本作のモデルは田中が生涯の師として尊敬した岡倉天心である。天心は明治39（1906）年に茨城県五浦に移り住み、日本画家の下村観山、横山大観、菱田春草らを指導するかたわら、暇をみては釣りに興じていた。本作は、釣り竿と魚籠を携え、アザラシの毛皮を着て、道教の帽子を被った異様な姿の天心を五浦海岸で撮影した写真がもとになっている。田中は敬愛する天心の像を数多く作ったが、釣人姿の天心をモデルとするこの《五浦釣人》もまた、1930年の第17回院展で初めて発表して以来繰り返し制作していて、本作もそのひとつである。

三村陶景《彩色備前勇駒香炉》　大正時代　備前土　1点

美しい馬具をまとう白馬が前足を高く振り上げ、駆け出そうとするのを綱を引く二人の侍者が足を踏ん張り必死で抑えようとしている。躍動感に富んだ造形と美しい色彩は一見、備前焼らしからぬ。

備前焼は、千年に近い歴史を誇り、全国的にも稀有な無釉焼き締めを特徴とするが、各時代において窯の火を絶やさぬための努力がなされてきた。現備前市出身で細工物に長けた三村陶景（1885―1956）は、明治維新以後、藩の庇護を失い、厳しい状況下にあった備前で、閑谷焼、白備前、彩色備前、絵備前などの復興に努め、また伊部に陶器学校を開き、後継者の育成にも尽力した作家である。本作は低火度で焼いた素焼きの上に日本画の絵具で彩色したもので、京や有田に負けじとする陶景の優れた技量を示す優品である。

金重陶陽《備前手鉢》　昭和39（1964）年　備前土　1点

備前では、古くから壺、甕、擂鉢の他、皿や鉢、徳利、茶入、水指、花生、香炉など、生活雑器から茶道具までさまざまな器が作られてきた。鉢では、丸鉢、半月鉢、角鉢、手や足や台がついたもの、透かし模様が入ったものなどがある。本作は備前焼で初の人間国宝（国指定重要無形文化財保持者）の認定をうけた金重陶陽（1896－1967）の手鉢。陶陽は手鉢をいくつか作っているが、その中でも出色の出来の良さで、低い足と持ち手がついた落ち着いた佇まいに、胡麻（自然釉）がかかり、黄褐色になった部分と灰に埋もれて灰黒色になった部分、さらに器の中に浮かび上がる牡丹餅の鮮やかな緋色と、色彩のコントラストも美しい。

陶陽は、備前焼の窯元であった父楳陽について手びねりや型物の細工物をよくしたが、後に轆轤制作への転向。研究、精進を重ね、桃山風備前の復興を目指した。陶陽が皿や鉢などの食器類、造形的にもユニークな作品を作るようになった理由として、美食家北大路魯山人の影響が指摘されている。魯山人は陶陽窯には昭和24年（1949）に、また同27年（1952）には彫刻家イサム・ノグチを伴って訪れた。彼らとの交流は、陶陽にとっても大きな収穫であったと思われる。

小山冨士夫《青白磁多耳壺》 昭和時代 白土・天目釉 1点

小山冨士夫（1900―1975）は現倉敷市に生まれ、幼くして東京に転居、現一橋大学を中退。焼き物に興味を持ち、瀬戸、京都で陶芸を学ぶ。その後、奥田誠一に師事して古陶磁研究に入り、中国や日本の古窯跡を踏査、昭和16（1941）年には北宋定窯址を発見した。戦後、東京国立博物館や文部省の文化財保護委員会（現文化庁）に勤務したが、同36（1961）年「永仁の壺」事件により辞職。晩年は陶磁研究と作陶に励んだ。

小山は古陶磁研究等で知り得た縁をたよりに全国の窯場をめぐり、作家たちの協力を得ることで、青磁、白磁、青白磁、唐津、信楽、宋赤絵風の色絵、備前、南蛮、種子島、オランダなど多彩な作品を制作した。本作は、白磁・青白磁で人間国宝の認定を受けた岐阜の塚本快示の窯で焼かれたもの。透明感のある美しい釉がたっぷりとかかり、こぼれる滴が愛らしい。たくさんの耳がついたユニークな器形はオリエントの多耳壺に由来するものだろう。研究者としての滋養が反映された作品である。

岡本欣三《玳《たい》玻《ひ》盞《さん》天目《てんもく》大皿《おおざら》（花火）》　平成10（1998）年　1点

夏の夜空に大輪の花を咲かせる打ち上げ花火。ドーンと身体に響く音と美しい閃光に心が躍る、そんな情景が目に浮かぶこの大皿の花火は、揮発する金属を混ぜた釉薬が窯の中で爆発してできた文様で、まさに窯の中であがった花火の痕跡ともいえる。

岡本欣三（1914―2001）は倉敷市に生まれ、京都国立陶磁器試験所で各種釉薬や焼成法を学び、中国古陶磁の技法の再現に取り組んだ。戦後、昭和26（1951）年に倉敷に戻り、天神窯を築窯、釉薬の研究に邁進し、同42（1967）年には再現が困難とされた「玳玻盞天目」を完成させた。「玳玻盞天目」とは中国より舶来した名物茶碗に代表される黒釉地に玳瑁（海亀）の甲羅（鼈甲）の色や質感を持つものをいい、欣三は、理想とした玳玻盞天目の手法を発展させ、このような独創的な作品を創り出した。

難波仁斎《描蒟醤呼月卓《かききんまこげったく》》　昭和40（1965）年　1点

卓の中央に大きな満月が浮かび、周囲には萩や桔梗、女郎花などの秋草が風にそよぐように咲きそろう。古画にもある「武蔵野」の情景だろうか。漆色の下に沈む金箔は少し赤みを帯び、しなやかな筆描きと繊細な蒟絵は華やかさの中にも落ち着いた風情を醸す。

難波仁斎（1903―1976）は、現岡山市の出身で、現岡山工業高等学校塗工科を卒業後、京都で染織図案の仕事に携わるが、昭和2（1927）年岡山に戻り、32年間母校で教鞭をとった。その頃から晩年まで、帝展、日展、日本伝統工芸展などに出品し、入選・入賞を重ねた。第9回日本伝統工芸展では岡山県初の日本工芸会総裁賞を受賞、独自に考案した「描蒟醤」技法で県指定重要無形文化財保持者に認定された。岡山の伝統工芸の発展に尽力した一人である。

山口松太《乾漆《かんしつ》油枀《ゆしょう》堆錦《ついきん》筒形箱《つつがたばこ》「アンドロメダ」》　平成14(2002)年　1点

山口松太（1940―2020）は、倉敷市に生まれ、香川県漆芸研究所で漆芸の基礎を学び、その後、難波仁斎に師事。蒟醤、存清、蒔絵、卵殻などさまざまな漆芸技法を身につけるとともに、四半世紀にわたって琉球漆器の伝統技法である堆錦に取り組み、岡山県産の備中漆を用いた独自の油枀堆錦へと発展させた。

堆錦は、漆と顔料を練り合わせて餅状にしたものを薄くのばし、型抜きした文様を器胎に貼り付ける技法。本作は、アンドロメダ銀河をイメージし、黒漆の上に堆錦と螺鈿に金消粉を擦り込み、きらめく宇宙を表現している。小さな堆錦のひとつひとつが無数の星屑のように見える。

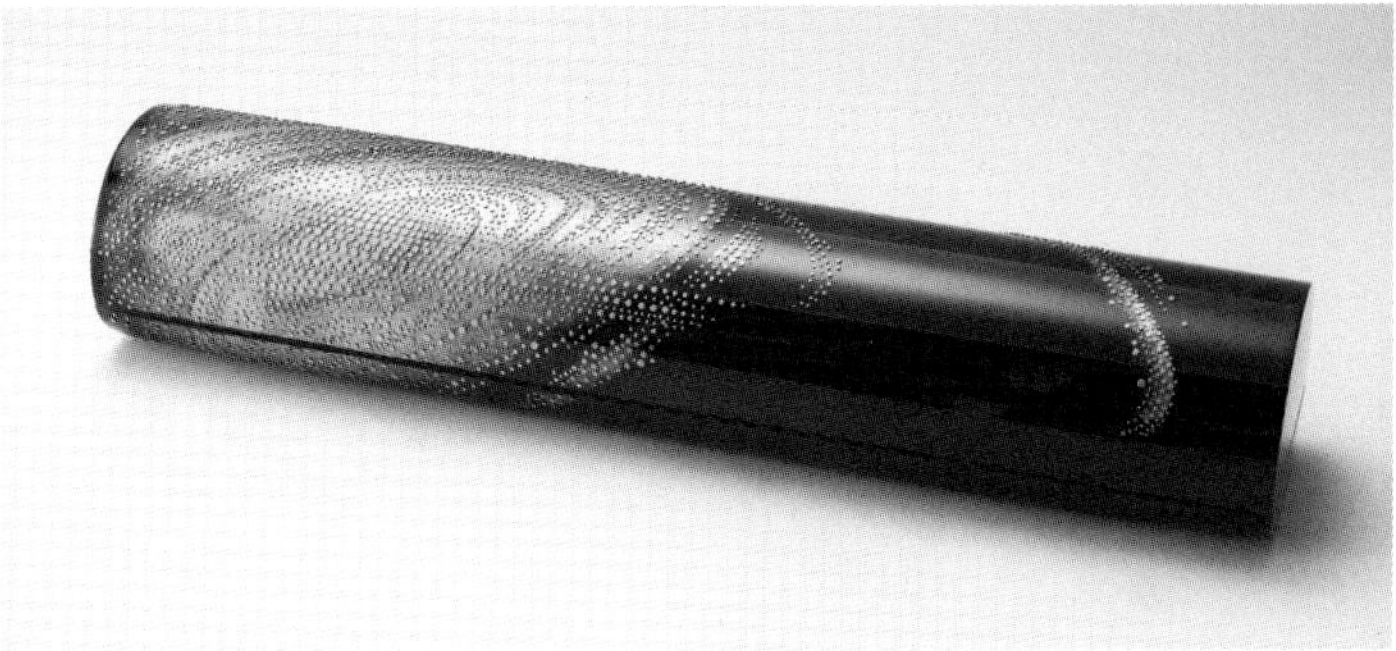

佐官研斎《松竹梅香盆》　大正～昭和時代　木（松・竹・梅）　1点

佐官研斎（1869―1956）は香川県丸亀市に生まれ、下津井の船大工へ修行に入り、その後、家大工山口亀吉に弟子入り、指物は独学で習得した。明治26（1893）年頃、岡山市に工房を構え、大正から昭和期にかけて県内の殖産興業の発展に寄与。共進会展や商工省展などにも出品していたことがわかっている。自宅に岡山美術工藝協会事務所を開くなどし、仕事場には若い難波仁斎や大野昭和斎が出入りしていたという。茶箪笥や香盆など薄くシンプルな形状の器物に神経の行き届いた細やかな象嵌が施された作品は、優れた技量を示す。

本作はその名のとおり、松、竹、梅の三材を用い、松を本体底板に立ち上がりの縁は梅、口縁に斑竹を用いた大変キレのよい作りの香盆で、同種のものが皇室にも献上されている。

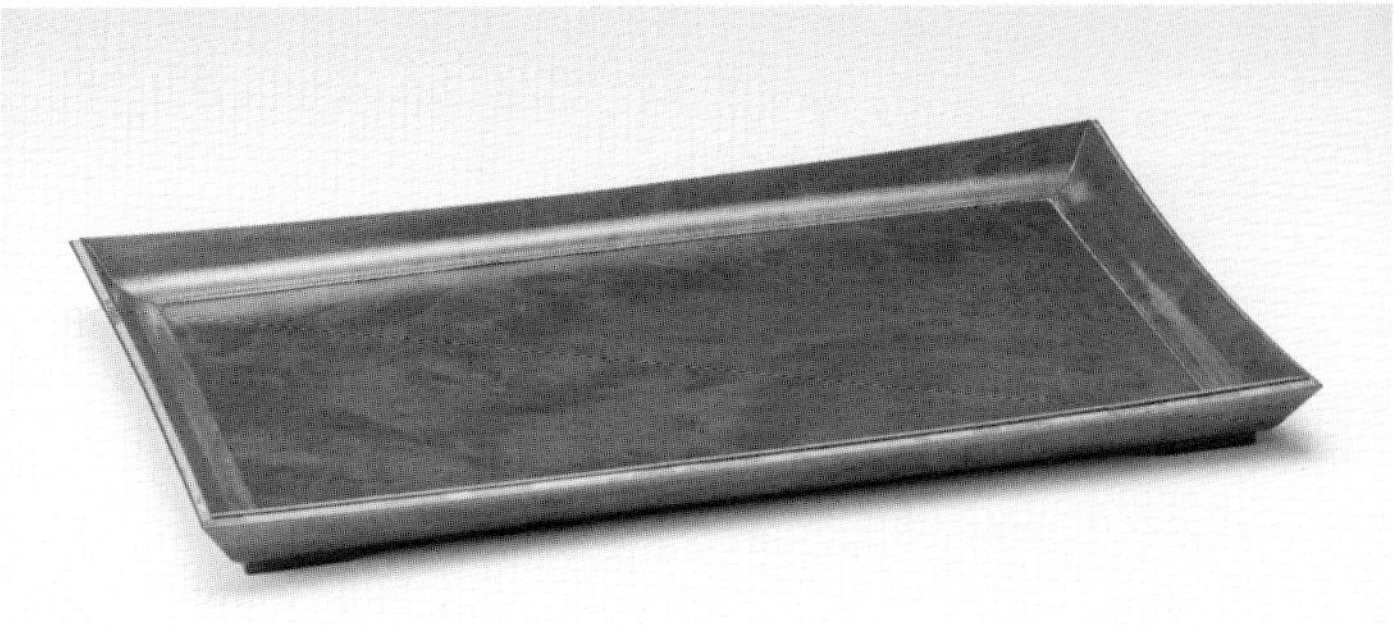

林鶴山《欅拭漆盛器《けやきふきうるしもりき》》　昭和60(1985)年　欅　1点

林鶴山（1927―2018）は現倉敷市に生まれ、昭和17（1942）年、15才で木工作家増田青泉堂に入門、若い頃には、偏刀彫で知られる平賀石泉や漆芸作家の山本象石らの木地を作っていたことが現存作品から知ることができる。昭和47（1972）年日本伝統工芸展に初入選して以後は、同展を中心に作品を発表、本県を代表する木工作家のひとりとして活躍。平成7（1995）年県指定重要無形文化財保持者に認定された。

鶴山は、刳物《くりもの》を得意とし、主に欅の銘木を用い、重厚で豊かな杢目を活かしつつ、木の塊から独創的な形状の提盆や喰籠《じきろう》、盛器などを制作した。本作も四隅にくびれをつけ変化を持たせた台付きの盛器で、内外の刳りや曲面の滑らかさ、器台のバランスの良さが見どころである。拭漆《ふきうるし》を何十回も塗り重ねて仕上げられた杢目もしっとりと美しい。

平田郷陽《支度（師匠・藤娘）》　昭和17（1942）年　木彫、着せ込み　2点

平田郷陽（1903―1981）は現総社市出身の人形師平田恒次郎（初代郷陽）の長男として東京浅草に生まれた。父について人形づくりを学び、関東大震災で被災し岡山に疎開中に父を失い、郷陽を襲名した。大正15（1926）年上京、父譲りの写実的なマネキンや生き写し人形、昭和2（1927）年にはアメリカから贈られた青い眼の人形への答礼人形を制作した。戦前は文展や博覧会に出品、第二次世界大戦時には再び岡山に疎開した。戦後は対象をデフォルメした独特な人形を制作し、日展や日本伝統工芸展で活躍、同30（1955）年国指定重要無形文化財保持者に認定された。

本作は、戦時中、岡山に疎開していた郷陽を支えた支援者のもとに遺された作品で、ガラスの眼をもち、人髪が植えられ、衣装を着せつけた大変精巧な人形である。出を待つ少女と師匠の年齢や立場の違い、それぞれの心の内が髪型や衣装だけでなく表情からも窺える。そこには父から受け継いだ徹底した写実性が見て取れよう。

大林蘇乃《べに》　昭和時代　木心陶塑紙貼り　1点

大林蘇乃（1910―1971）は、岡山県出身の日本画家大林千萬樹の次女として東京に生まれる。大正12（1923）年関東大震災で被災し奈良に転居、高等女学校を卒業後、人形に興味を持ち始めた。昭和15（1940）年東京に転居し、平田郷陽に指導を受ける。同17（1942）年日本画家小林古径の紹介で彫刻家の平櫛田中に師事、また人形作家堀柳女にも作品を見てもらう。初期には文楽に取材した作品を制作したが、戦後は感情の機微を表現した創作人形を日展や日本伝統工芸、京展などに発表。また「艸の実会」を主宰して後進の指導にも努めた。

本作は鏡を手に少し前のめりになりながら紅をさす若い舞妓の浮き立つような気持ちを顔の表情やしぐさで巧みに表現する。単にきれいなだけではない個性や豊かな人間性を見てとることができる。

第3章

岡山県立美術館
現代作家コレクション 10選

柚木沙弥郎《とうもろこし　かぜ》　平成24（2012）年　型染・綿　1枚

柚木家は倉敷市玉島の旧家で、祖父玉郁は実業家でかつ南画家としても知られ、父久太は油彩画家として活躍した。沙弥郎（1922―）は東京に生まれ、東京大学に入学するも学徒動員される。戦後、倉敷に復員し就職した大原美術館で民藝運動を知り、芹沢銈介のもとで染色を始めた。昭和25（1950）年から女子美術大学で後進の指導に当たった。

沙弥郎の作品は民藝的な要素を残しつつ、現代的な軽やかさや暖かいユーモアに富み、親しみやすい。大胆な色彩とデフォルメされた絵画的作品は染布だけにとどまらず、絵本や版画に展開する。本作のとうもろこしは沙弥郎がテーマとする「いのちの旗印」衣食住の「食」をシンボライズしている。

瀬本容子《祝祭》 平成9(1997)年 金地テンペラ・板

中世ヨーロッパやルネサンスの雰囲気をどこか漂わせる服を着た男女が、煌びやかな金地を背景に、鮮やかな緑色や水色で彩られた空間の中で楽器を奏でながら踊っている。おとぎ話の世界から抜け出たかのようなモティーフと絢爛な金の装飾性とが相まって、優美で幻想的な世界が描き出されている。

石膏下地に金箔を貼って磨き上げた金地の上に、天然顔料と卵黄メディウムを混ぜたテンペラ絵具で描画したものを金地テンペラ画と呼ぶ。倉敷市玉島出身の瀬本容子(1930―)は、1962年に初めて渡仏した際、美術館でフラ・アンジェリコの金地テンペラ画と出会い、その豊かな装飾性と様式美、そして古典的なテンペラ技法に強く魅了された。以来、瀬本は熟練した職人的技術を要するこの金地テンペラ画を独学で習得し、半世紀以上にわたってコツコツと続けてきた。本作は、瀬本の真摯な生き方を反映するかのように深い精神性を湛えながら、天上の光である金の輝きと優美な装飾性に溢れ、夢幻的なモティーフが色鮮やかに彩られている。

宮忠子《レクイエム》　昭和48（1973）年　墨、鉛筆・アルシュ紙

現在の岡山市南区に生まれた宮忠子（1931―2022）は、昭和24（1949）年に山陽女子高等学校を卒業し、武蔵野美術学校西洋画科に入学した。同校卒業後に洋画家の宮俊彦と結婚して1954年に岡山へ帰郷したのち、子育てのための画業の中断期を経て、1966年に再び油彩画の筆を執ることとなった。1974年に文筆家で画廊主の洲之内徹の現代画廊で見た四方田草炎の素描に感銘を受け、油彩から墨筆画へ転向し、以来、雑木林や草原、樹木など自然の風景を和紙に鉛筆と墨で精緻に描く作品を制作し続けた。

本作は、四方田の素描を見て墨筆画へと本格的に転向する前の、最初に墨を用いた作品である。当時の勤務先であった山陽女子短期大学の窓から見える風景で、大部分が鉛筆で描かれ、木の幹や枝、影の部分に墨が用いられている。前景の草むらから中景の葉の落ちた大きな一本の樹木、そして遠景の雑木林が鉛筆と墨によって細かく捉えられている。何気ない身近な自然風景であるが、詩情を湛えた静謐なモノクロームの作品となっている。

※2022年10月4日に亡くなられました。心よりご冥福をお祈りいたします。

寺田武弘《変位(1)》　昭和44(1969)年　木

大分県に生まれた寺田武弘（1933—）は、5歳から12歳まで朝鮮半島の開城に育ち、敗戦とともに父の実家がある岡山県久米南町に引き揚げた。はじめは絵画を制作したが、やがて木彫をはじめ、レリーフ状の作品を多く制作するようになる。1960年代後半以降は、木や丸太を削るパフォーマンス的要素の強い作品へと展開し、1970年代からは岡山産の万成石を用いた大規模な環境造形作品を制作するようになった。

本作は、木の板に手まわしドリルで無数の穴をあけ続け、そこから生じた木屑と穴だらけの板とを一緒に展示した作品で、昭和44（1969）年の秋山画廊での個展で発表された。作家が黙々と作業する行為の痕跡が蜂の巣のようになった木の板と木屑に残されている。この作品以降、石へとシフトするまで、会期中に丸太を斧で削ったり鋸で挽き続けたりして木屑を生じさせ、木が次々と変化していくプロセスそのものを見せるパフォーマンス的要素の強い一連の木屑作品が制作された。

伊勢﨑淳《備前角花生》平成20(2008)年　備前土　1点

伊勢﨑淳（1936―）は、備前焼作家父陽山の次男として備前市に生まれ、岡山大学教育学部特設美術科を卒業後、父について作陶を始めた。昭和36（1961）年兄満とともに中世の半地下式穴窯を復元築窯。土や窯についての研究や工夫を重ね、素材と窯の特徴を生かした制作づくりを心がける。作品に応じて穴窯、登窯、電気窯を使い分け、伝統的な備前焼の技法を応用し、四角や不定形の牡丹餅を作ったり、コンプレッサーによる塗り土を施すなど、新しいスタイルを積極的に取り入れている。平成16（2004）年、備前焼で5人目となる国指定重要無形文化財保持者に認定された。

本作は、石膏型を使って箱状のものを組み合わせて成形。人体をイメージした肩の部分は、粘土が柔らかいうちに手でひだを寄せ、足にあたる部分は少し固まってからヘラで切れ込みをいれている。穴窯で焼かれ、胸には大きなハートが牡丹餅の応用で表現されている。明るく暖かい肌合いの焼き上がりは、どこか飄々とした感じがする。

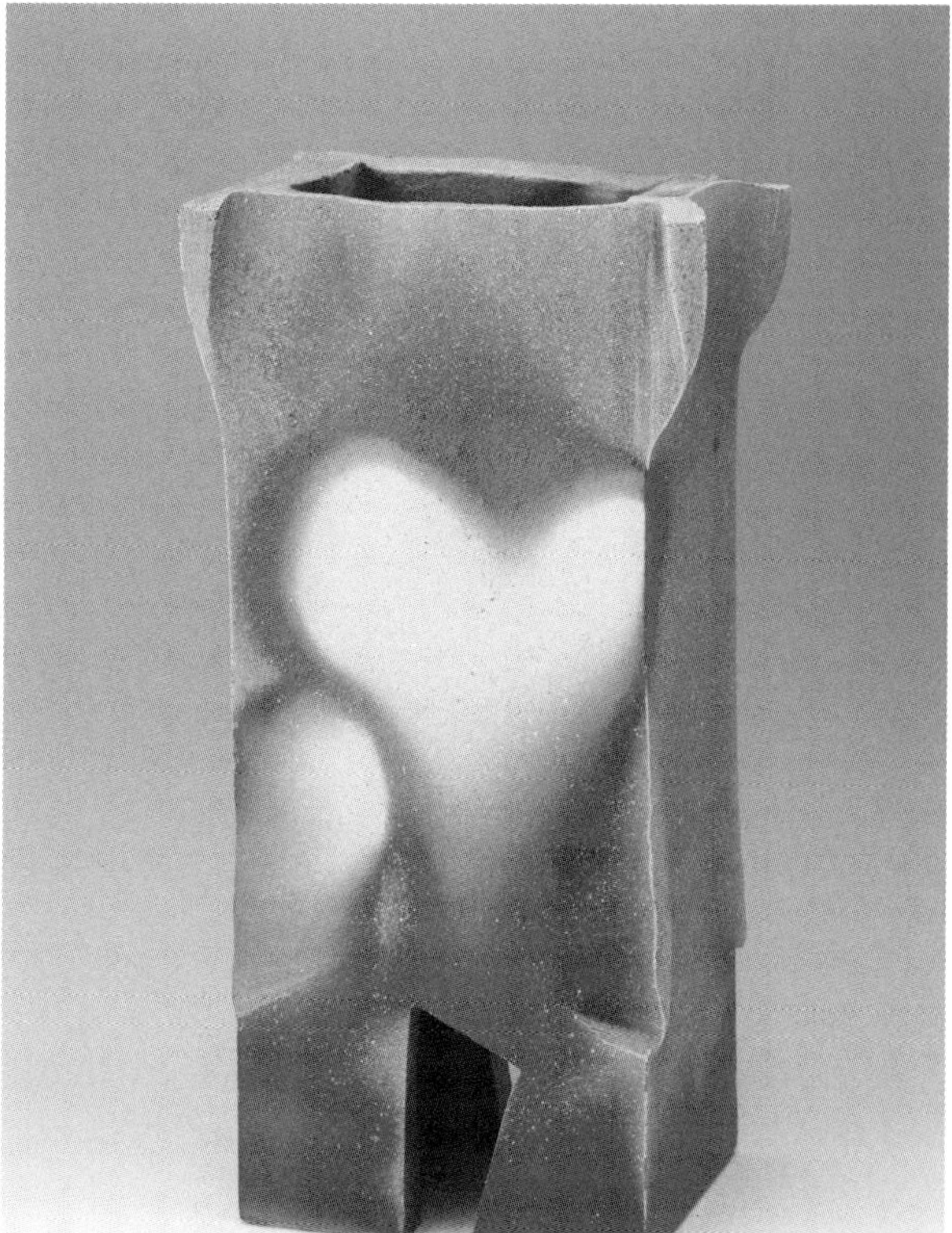

家住利男《M・070301》平成19(2007)年、板ガラス・接着・研磨

家住利男（1954―）は栃木県に生まれ、昭和60（1985）年東京ガラス工芸研究所を卒業。ガラスや彫刻、クラフト関連のコンクールで受賞を重ね、活躍。平成7（1995）年倉敷芸術科学大学の開学とともに同校に赴任、同28（2016）年定年退官するまで、後進の指導に努めるとともに自身の制作にも打ち込んだ。

家住は、工業製品である板ガラスを重ねて紫外線で溶着させた塊を削って磨き上げる独創的な制作技法で、大型の彫刻的な作品を制作し、国内外に発表。その作品はガラス工芸の域を超え、立体彫刻、環境造形との親和性もあり、高く評価されている。どこにでも見られる少し緑がかった硬質で無機質なガラス板が家住の手によって、暖かく柔らかい光を内包し、見る角度によって美しく輝き、揺らめく造形へと変化する。

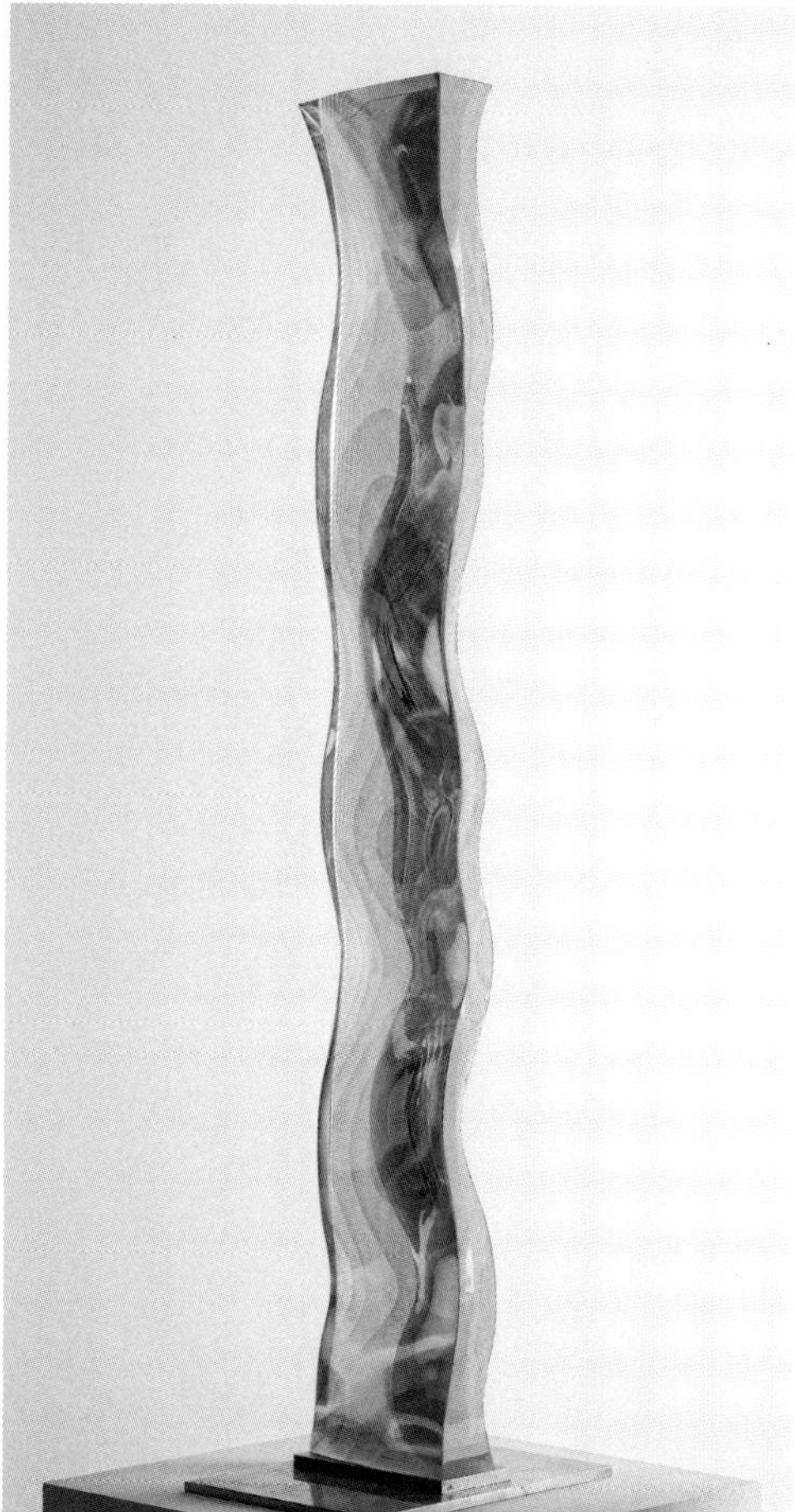

東島毅《S－004》 平成8（1996）年 ハウスペイント、スプレーペイント・カンバス

佐賀県に生まれた東島毅（1960―）は、筑波大学大学院を修了したのち、昭和63（1988）年に渡英してロンドンの王立美術学校で学び、1990年からニューヨークに在住して独自の抽象絵画を目指して研鑽を積んだ。1996年に日本の優れた若手の平面作家に贈られるVOCA賞を受賞し、翌年に帰国してからは京都の大学で教鞭をとりながら岡山市に在住して精力的に制作活動を続けている。

東島は帰国直後に東京の第一生命南ギャラリーで開催した個展において6点の大作を発表したが、本作はその内のひとつである。縦3メートル、横4メートルの巨大な銀色の画面に、赤色の線で矩形を塗りつぶしたような形象がスプレーで描かれている。底光りするような銀色のオールオーバーな大画面は、それ自体が反射板のようになり、作品の前に立つ観者を光で包み込むかのような効果をもたらしている。何でもありの現代美術の世界において絵画の表現がもつ可能性を探求し続ける東島の代表作のひとつといえるだろう。

大西伸明《mini kupa》平成20（2008）年　樹脂に塗装

岡山市出身の大西伸明（1972―）は、平成10（1998）年に京都市立芸術大学大学院を修了し、2008年に第1回岡山県新進美術家育成「I氏賞」大賞を受賞した。凹凸を利用する版画技法を平面のみならず三次元へと応用した「版のオブジェ」を制作する造形作家で、自然物や日常で使用されている身近なモノを型取りし、樹脂で成型後、本物と見紛うほどの精度で着色することでオリジナルを正確に複製する作品を生み出している。

本作では、量産品として生産されたのち、人の手に渡って使用されることで単独性を帯び、かつ所有者と他者との関わりによって壊れたミニクーパーが原型に用いられている。唯一無二の存在となった車を型取りし、破損部分から生じた錆びまで精巧に複製・反復している。オリジナルであるモノを「版」の行為によって取り出すことで、反復性と再現性をなすオブジェが生み出されている。本来一つしか存在しないはずの物質の反復によって、モノ自体のオリジナリティとその存在についての問いかけが行なわれている。

小野耕石《Hundred Layers of Colors》平成25—26（2013—2014）年
スクリーンプリント、油性インク・紙

倉敷市に生まれた小野耕石（1979—）は、平成18（2006）年に東京藝術大学修士課程を修了したのち、2010年に第3回岡山県新進美術家育成「I氏賞」奨励賞を、2014年にVOCA賞を受賞した。無数の細かなドットが並ぶシルクスクリーンの版を数十から百回程度刷り重ねることで立ち現れる「インクの柱」を用いた独自の表現を追求しており、支持体は平面だけでなく動物の骨や昆虫など立体物にまで及んでいる。

大学時代に絵具を用いた表現の可能性に取り組んでいた小野は、蛾の鱗粉について関心を持ったことにより、無数の細かなドットが並ぶシルクスクリーンの版を幾重も刷り重ねる独自の表現を開始した。鱗粉で覆われた蛾の羽が光の反射で様々な色合いを見せるように、本作でも支持体を埋め尽くす「インクの柱」によって生み出される多彩な色層が照明や視点によって表情が変化する。整然と密集して立ち並ぶ微細な柱は、美しさとともにどこか不気味さを孕んでいて、視触覚的な版表現が生み出されているといえるだろう。

松井えり菜《あなただけDream·ing!》平成30（2018）年　油彩・カンバス

倉敷市出身の松井えり菜（1984―）は、平成22（2010）年に第3回岡山県新進美術家育成「I氏賞」大賞を受賞し、同年に東京藝術大学大学院を修了した。松井は、客観的かつ主観的に見つめる行為であり、自身がリアリティを感じられる世界を描くことができるということから、一貫して自画像を制作し続け、その可能性を追求している。

大胆にクローズアップし、ホクロやうぶ毛までリアルに描写した巨大な自画像が画面中央を占めている。背景には月や木星などのある紺青の宇宙が広がり、作者の夢想が壮大なスケールで展開している。本作において自画像とともに存在感を示しているのは、画面右下で丸く大きな目を輝かせている猫である。この猫は、その頬の横で幸せそうに並んでいる、作者の弟夫婦の愛猫Ｍａｔｔｈｅｗ（マシュー）で、作者も可愛がっている存在である。夢に見るほどのマシューへの片思いが本作の主題であり、丸みを帯びた愛らしい姿がさまざまなポーズや表情で繰り返し画面の中に登場している。

あとがき

当館ではコレクションの充実をはかり、郷土作家やゆかりの作品を調査・顕彰し、「岡山の美術展」として展覧することを主軸としつつ、日本のみならず諸外国の多様な歴史や芸術文化に触れる機会を県民に供するため、考古から現代美術までさまざまな作品を特別展として年間6～7本、特別展示・テーマ展等として3～4本開催し、紹介してきた。これまでに実施した展覧会は400本以上、近年はいわゆる美術のみならず、絵本や漫画、映像を扱ったものも増えてきた。美術館の役割や有り様も時代とともに変化するもので、作品展示に加え、関連事業や教育普及、情報発信にも注力し、世代を超え、多くの方に美術や美術館に親しんでいただけるよう努めている。今後はさらに岡山から世界に、現在から過去や未来に、多角的な視点からジャンル横断的につながりを広げていくことで、作品を守り、文化を継承していく意識を醸成するとともにまだ見ぬ新しい創造へのアシストができるようになりたいと願っている。本書を手にした読者諸氏も「岡山ゆかり」のひとりとして共に歩んでいただければ幸いである。

福冨　幸

岡山県立美術館

〒700-0814 岡山市北区天神町8-48
TEL. 086-225-4800　FAX. 086-224-0648
JR岡山駅後楽園口（東口）から

●徒歩約15分　●路面電車：東山行「城下」下車徒歩約3分
●岡電バス：藤原団地行「天神町」下車すぐ
●宇野バス／四御神／瀬戸駅／片上方面行「表町入口」下車徒歩約3分

岡山文庫　328　岡山県立美術館コレクション

令和４年10月26日　初版発行

編　者　岡山県立美術館
編　集　石井編集事務所書肆亥工房
発行者　荒木裕子
印刷所　株式会社二鶴堂

発行所　岡山市北区伊島町一丁目4-23　日本文教出版株式会社
電話岡山(086)252-3175(代)　振替01210-5-4180（〒700-0016）
http://www.n-bun.com/

ISBN978-4-8212-5328-9

101. 岡山と朝鮮・西川　宏
102. 岡山の和紙・臼井英治
103. 岡山の艶笑譚・立石憲利
104. 岡山の文学アルバム・山本遺太郎
105. 岡山の映画・松田完一
106. 岡山の石仏・巌津政右衛門
107. 岡山の橋・宗田克巳
108. 岡山のエスペラント・岡　一太
109. 岡山の狂歌・蓬郷　巌
110. 百間川・岡山の自然を守る会
111. 夢二のふるさと・真田芳夫 葛原茂樹
112. 岡山の梵鐘・川端定三郎
113. 岡山の演劇・山本遺太郎
114. 岡山話の散歩・岡　長平
115. 岡山地名考・宗田克巳
116. 岡山の戦災・野村増一
117. 岡山の町人・片山新助
118. 岡山の会陽・三浦　叶
119. 岡山の石・宗田克巳
120. 岡山の滝と渓谷・川端定三郎
121. 岡山の味風土記・岡　長平
122. 目でみる岡山の明治・巌津政右衛門
123. 岡山の散歩道 東西・佐藤米司
124. 目でみる岡山の大正・蓬郷　巌
125. 児島湾・同前峰雄
126. 岡山の庶民夜話・佐上静夫
127. 岡山の修験道の祭・川端定三郎
128. 目でみる岡山の昭和Ⅰ・蓬郷　巌
129. 岡山のふるさと雑話・佐上静夫
130. 岡山のことわざ・佐藤・次田 竹内・福尾
131. 目でみる岡山の昭和Ⅱ・蓬郷　巌
132. 瀬戸大橋・ＯＨＫ編
133. 岡山の路上観察・香川・河原
134. 岡山の相撲・二宮朔山
135. 岡山の古文献・中野美智子
136. 岡山の門・小出公大
137. 岡山の内田百閒・岡　将男
138. 岡山の彫像・蓬郷　巌
139. 岡山の名水・川端定三郎
140. 両備バス沿線・両備バス広報室
141. 岡山の明治の雑誌・片山・来田 菱川
142. 岡山の災害・蓬郷　巌
143. 岡山の看板・河原　馨
144. 由加山・原　三正
145. 岡山の祭祀遺跡・八木敏乗
146. 岡山の表町・岡山を語る会
147. 逸見東洋の世界・臼井洋輔
148. 岡山ぶらり散策・河原　馨
149. 岡山名勝負物語・久保三千雄
150. 坪田譲治の世界・善太と三平の会
151. 備前の霊場めぐり・川端定三郎
152. 藤戸・原　三正
153. 矢掛の本陣と脇本陣・武・中山・岡田 池田・柴口
154. 岡山の図書館・黒崎義博
155. 岡山の戦国時代・松本幸子
156. 岡山の資料館・河原　馨
157. カブトガニ・惣路紀通
158. 正阿弥勝義の世界・白井洋輔
159. 木山捷平の世界・定金恒次
160. 岡山の備前ばらずし・窪田清一
161. 良寛さんと玉島・森脇正之
162. 備中の霊場めぐり・川端定三郎
163. 岡山の多層塔・小出公大
164. 六高ものがたり・小林宏行
165. 下電バス沿線・下電編集室
166. 岡山の博物館めぐり・川端定三郎
167. 岡山の民間療法(上)・鶴藤鹿忠 竹内平吉郎
168. 吉備高原都市・小出公大
169. 玉島風土記・森脇正之
170. 洋学者箕作阮甫とその一族・木村岩治
171. 夢二郷土美術館・松田　基 楢原雄一
172. 岡山のダム・川端定三郎
173. 岡山の森林公園・河原　馨
174. 宇田川家のひとびと・水田楽男
175. 岡山の民間療法(下)・鶴藤鹿忠 竹内平吉郎
176. 岡山の温泉めぐり・川端定三郎
177. 阪谷朗廬の世界・山下五樹
178. 目玉の松ちゃん・尾上松之助 中村房吉
179. 吉備ものがたり(上)・市川俊介
180. 中鉄バス沿線・中鉄バス㈱企画部
181. 飛翔と回帰－国吉康雄の西洋と東洋・小澤善雄
182. 岡山の智頭線・河原　馨
183. 出雲街道・片山　薫
184. 備中高松城の水攻め・市川俊介
185. 美作の霊場めぐり・川端定三郎
186. 吉備ものがたり(下)・市川俊介
187. 津山の散策 にし ひがし・黒田　晋 竹内平吉郎
188. 倉敷福山と安養寺・前川　満
189. 鷲羽山・山本慶一 西田正憲
190. 和気清麻呂・仙田　実
191. 岡山たべもの歳時記・鶴藤鹿忠
192. 岡山の源平合戦談・市川俊介
193. 岡山の氏神様・二宮朔山
194. 岡山の乗り物・蓬郷　巌
195. 岡山・備前地域の寺・川端定三郎
196. 岡山ハイカラ建築の旅・河原　馨
197. 牛《うし》窓《まど》を歩く・前川　満
198. 岡山のレジャー地・倉敷ぶんか倶楽部
199. 斉藤真一の世界・斉藤裕重 イシイ省三
200. 巧匠 平櫛田中・原田純彦

201. 総社の散策・神野　力・葛原克人・加藤信二
202. 岡山の路面電車・楢原雄一
203. 岡山ふだんの食事・鶴藤鹿忠
204. 岡山のふるさと市・倉敷ぶんか倶楽部
205. 岡山の流れ橋・渡邉隆男
206. 岡山の河川拓本散策・坂本亜紀児
207. 備前を歩く・前川　満
208. 岡山言葉の地図・今石元久
209. 岡山の和菓子・太郎良裕子
210. 吉備真備の世界・中山　薫
211. 柵原散策・片山　薫
212. 岡山の岩石・野瀬重人・沼野忠之
213. 岡山の能・狂言・金関　猛
214. 岡山の鏝絵・赤松壽郎
215. 山田方谷の世界・朝森　要
216. 岡山おもしろウオッチング・おかやま路上観察学会
217. 岡山の通過儀礼・鶴藤鹿忠
218. 日生を歩く・前川　満
219. 備北・美作地域の寺・川端定三郎
220. 岡山の親柱と高欄・渡邉隆男
221. 西東三鬼の世界・小見山　輝
222. 岡山の花粉症・三好・難波・岡・岡野・山本
223. 操山を歩く・谷淵陽一
224. おかやま山陽道の拓本散策・坂本亜紀児
225. 霊山熊山・仙田　実
226. 岡山の正月儀礼・鶴藤鹿忠
227. 原子物理学の父 仁科芳雄・井上　泉・イシイ省三
228. 赤松月船の世界・定金恒次
229. 邑久を歩く・前川　満
230. 岡山の宝箱・臼井洋輔・臼井隆子
231. 平賀元義を歩く・渡部秀人・竹内佑宜
232. 岡山の中学校運動場・奥田澄二
233. おかやまの桃太郎・市川俊介
234. 岡山のイコン・植田心壮
235. 神島八十八ヶ所・坂本亜紀児
236. 倉敷ぶらり散策・倉敷ぶんか倶楽部
237. 作州津山 維新事情・竹内佑宜
238. 坂田一男と素描・妹尾克己・イシイ省三
239. 岡山の作物文化誌・臼井英治
240. 児島八十八ヶ所霊場巡り・倉敷ぶんか倶楽部
241. 岡山の花ごよみ・前川　満
242. 英語の達人・本田増次郎・小原　孝
243. 城下町勝山ぶらり散策・橋本惣司・倉敷ぶんか倶楽部
244. 高梁の散策・朝森　要
245. 薄田泣菫の世界・黒田えみ
246. 岡山の動物昔話・立石憲利・江草昭治
247. 岡山の木造校舎・河原　馨
248. 玉島界隈ぶらり散策・小野敏也・倉敷ぶんか倶楽部
249. 岡山の石橋・北脇義友
250. 哲西の先覚者・加藤章三
251. 作州画人伝・竹内佑宜
252. 笠岡諸島ぶらり散策・NPO法人 かさおか島づくり海社
253. 磯崎眠亀と錦莞莚・吉原　睦
254. 岡山の考現学・おかやま路上観察学会
255. 「備中吹屋」を歩く・前川　満
256. 上道郡沖新田・安倉清博
257. 続・岡山の作物文化誌・臼井英治
258. 土光敏夫の世界・猪木正実
259. 吉備のたたら・岡山地名研究会
260. いろはで綴る ボクの子供事典・赤枝郁郎
261. 民話の里 鏡野町伝説紀行・立石憲利・片田知宏
262. 笠岡界隈ぶらり散策・ぶらり笠岡友の会
263. つやま自然のふしぎ館・森本信一
264. 岡山の山野草と野生ラン・小林克己
265. 文化探検 岡山の甲冑・臼井洋輔
266. ママカリ ヒラに まったりサーラ・窪田清一
267. 岡山の駅舎・河原　馨
268. 守分 十の世界・猪木正実
269. 備中売薬・土岐隆信・木下　浩
270. 倉敷市立美術館・倉敷市立美術館
271. 津田永忠の新田開発の心・柴田　一
272. 岡山ぶらりスケッチ紀行・南　一平・網本善光
273. 倉敷美観地区 歴史と民俗・吉原　睦
274. 森田思軒の世界・倉敷ぶんか倶楽部
275. 三木行治の世界・猪木正実
276. 岡山路面電車各駅街歩き・倉敷ぶんか倶楽部
277. 赤磐きらり散策・高畑富子
278. 岡山民俗館 民具一〇〇選・岡山民俗学会
279. 笠岡市立竹喬美術館・笠岡市立竹喬美術館
280. 岡山の夏目金之助(漱石)・横山俊之・熊代正英
281. 吉備の中山を歩く・熊代哲士・熊代建治
282. 備前刀 日本刀の王者・佐藤寛介・植野哲也
283. 繊維王国おかやま今昔・猪木正実
284. 温羅伝説・中山　薫
285. 現代の歌聖 清水比庵・笠岡市立竹喬美術館
286. 鴨方往来拓本散策・坂本亜紀児
287. 玉島旧柚木家ゆかりの人々・倉敷ぶんか倶楽部
288. カバヤ児童文庫の世界・岡　長平
289. 野﨑邸と野﨑武左衛門・猪木正実
290. 岡山の妖怪事典 妖怪編・木下　浩
291. 松村緑の世界・黒田えみ
292. 吉備線各駅ぶらり散策・倉敷ぶんか倶楽部
293. 「郷原漆器」復興の歩み・高山雅之
294. 作家たちの心のふるさと・加藤章三
295. 自画像の異彩画家 河原修平の世界・倉敷ぶんか倶楽部
296. 岡山の妖怪事典 鬼・天狗・河童編・木下　浩
297. 歴史・伝承・文学・アート 岡山の魅力再発見・柳生尚志
298. 井原石造物歴史散策・大島千鶴
299. 岡山の銀行 合併・淘汰の150年・猪木正実
300. 吹屋ベンガラ・臼井洋輔